Wie ein Phönix aus der Asche
Das Leid im Liede · Gedichte
Edition L

Liebe Sina

"... und immer wieder erschaffen wir uns neu."
Hier also eine Kostprobe der Gedichte, von denen ich dir erzählt habe.

Danke für deine Unterstützung!

mit herzlichen Grüssen

Gila

Ostern 2008

Wie ein Phönix aus der Asche

Das Leid im Liede

Eine Anthologie
älterer und neuer Lyrik

EDITION L

Inhaltsübersicht

ISBN 3-934960-65-7

Czernik-Verlag / Edition L
68766 Hockenheim
Einbandgestaltung und Typographie: Theo Czernik

Printed 2008
Schrift: Garamond
Satz und Druck: Progressdruck-GmbH, Speyer

Leid und Liebe sind Urmotive in der Weltliteratur. Beide gehören zu unserem Leben wie Systole und Diastole. Sie zu besingen, sagt man, sei verlorene Zeit, alles sei schon gesagt worden. Zur Liebe, sagt aber der Dichter, gehöre das Leid, und jede Zeit habe ihre eigene Melodie dafür. Es gehört zu unserer Erfahrung, daß die Poesie ohne Leid beinahe etwas trostlos wäre. Immer schon war es die Vergänglichkeit, Einsamkeit, ein Verlust oder auch Auflehnung, die Dichtern ihre Lippen öffneten. Was animierte die Nachkommen Abrahams und Jakobs zu ihren Jeremiaden? Ihre Bedrängnisse. Was führte zu dem Schuldbewußtsein mit seinem Weinen und Klagen in der Mystik? Die Entwertung des heidnischen Lebensgefühls, das Unbehagen vor der eigenen Körperlichkeit. In der Romantik dagegen war es das empfindsame Eingehen des Dichters auf seine Liebe und die oft selige Annahme des damit verbundenen Leides – immer ein Motor ihres liebenswerten überschwenglichen Dichtens.

Doch gleich, wie wir diese Ambivalenz der Poesie betrachten – sie ist immer zu bestaunen und zu bewundern. Ihr fehlt der drohend erhobene Zeigefinger, sie eifert nicht, verbrennt nicht, exkommuniziert nicht und erhebt keinen Anspruch auf Unfehlbarkeit. Sie vermag für Augenblicke den Fluß der Zeit anzuhalten, sie verdichtet unser Leben und führt uns zu uns selbst, ja, sie ersetzt in unserer Zeit der Indifferenz sogar das Gebet. Sie ist – und wir erheben damit den Dichter zum Seher und Künder – die vergessene Sprache Gottes.

Wenn das Leid in diesem Buch besungen wird, dann war die eigentliche Intention dazu die Hoffnung, dem Gedicht eine neue Chance zu geben, wieder gelesen zu werden, damit es wie Phönix aus seiner Asche steigt.

In Tageszeitungen mußte die regelmäßig erscheinende Rubrik für Gedichte Tagesinformationen weichen, und in Buchhandlungen fristet die Poesie ein Schattendasein. Geben wir die Schuld nicht nur immer einer Claque Intellektueller, die „ihre" Lyrik und Lyriker favorisiert, es liegt auch an der Instrumentalisierung des Wortes: Computer, Internet und auf unzähligen Kanälen TV lassen uns nicht zu uns selber finden. Die „Terzinen über Vergänglichkeit“ von Hugo von Hofmannsthal lassen sich am Bildschirm nicht so lesen, als wären sie in einem Buch in unserer Hand. Ein Gedicht braucht seine gute Stunde.

Das Leid geht an niemandem vorbei. Gedichte vermögen zu trösten. Dichter haben die Gabe, mit Worten, die anderen fehlen, sich an den Nächsten heranzutasten, ihn zu verstehen und von ihm verstanden zu werden. Hilde Domin nannte es die „An-ruf-bar-keit der Menschen“. Sie schreibt: *„Das Wort ist seiner Natur nach Wort des Lebens ... weil Dichtung, noch die widerständige, noch die negative, von einem Ja lebt, dem Ja ihres Glaubens an die Fortdauer des Menschseins und an die Fortdauer des befreienden Worts.“*

Die Gedichte in „Wie ein Phönix aus der Asche“ wollen nicht in Resignation enden. Ich zitiere Marcel Reich-Ranicki: *„Wer dichtet, der rebelliert gegen die Vergänglichkeit. Selbst wenn sie dem Tod huldigt, den Zerfall besingt – dementiert die Dichtung den Tod. Lyrik ist Lebensbejahung.“*

Und Hugo von Hofmannsthal schreibt in „Gespräch über Gedichte“: *„Wovon unsere Seele sich nährt, das ist das Gedicht, in welchem, wie im Sommerabendwind, der über die frischgemähten Wiesen streicht, zugleich ein Hauch von Tod und Leben zu uns herschwebt, eine Ahnung des Blühens, ein Schaudern des Verwesens, ein Jetzt, ein Hier und zugleich ein Jenseits, ein ungeheures Jenseits. Jedes vollkommene Gedicht ist Ahnung und Gegenwart, Sehnsucht und Erfüllung zugleich.“* In seiner Schrift „Über Dichtung“ sagt Stefan George: *„Das wesen der dichtung wie des traumes: daß Ich und Du • Hier und Dort • Einst und Jetzt nebeneinander bestehen und eins und dasselbe werden ... Jedes Gedicht ist unecht, das schwärze bringt ohne jeden lichtstrahl ... Der Dichter steht immer wie vor einem reizenden, seltsamen Abgrund. Ich fiel ins Finstere, damit ich mich aufschwingen und zur Helligkeit emporringen dürfe.“*

Sehr schön einige Sätze von Ingeborg Bachmann: *„So kann es auch nicht Aufgabe des Schriftstellers sein, den Schmerz zu leugnen, seine Spuren zu verwischen, über ihn hinwegzutäuschen. Er muss ihn, im Gegenteil, wahrmachen und noch* *einmal, damit wir ihn sehen können, wahrmachen ... Innerhalb der Grenzen aber haben wir den Blick gerichtet auf das Vollkommene, das Unmögliche, Unerreichbare, sei es in der Liebe, der Freiheit oder jeder reinen Größe.*"

Diese Anthologie will also eine Anthologie der Nachdenklichkeit und auch der Hoffnung sein. Irgendwann, irgendwie erhebt sich der Phönix aus der Asche. Sie will aber kein Trostbüchlein sein für jeden Tag, sie will die Vielseitigkeit des Themas Leid in der heutigen Lyrik, aber auch mit einigen Beispielen klassischer Dichtung aufzeigen.

Ein anderes, allerdings recht bedrohliches Bild vom Phönix beschreibt Goethe in seinen Wahlverwandtschaften: „*Unsre Leidenschaften sind wahre Phönixe. Wie der alte verbrennt, steigt der neue sogleich wieder aus der Asche hervor. Große Leidenschaften sind Krankheiten ohne Hoffnung. Was sie heilen könnte, macht sie erst recht gefährlich. Die Leidenschaft erhöht und mildert sich durchs Bekennen.*"

Das Buch läßt niemanden leer ausgehen, der sich für die poetische Aufarbeitung interessiert oder dem es um die Aussage geht, der vielleicht eine Parallele zu seiner eigenen Situation sucht und findet. Ob es nun eine bittere ist oder nur eine melancholische Stimmung – der Dichter nennt nicht immer gleich Roß und Reiter beim Namen und er legt auch kein probates Rezept bei – wir sollen auch zwischen den Zeilen lesen und die Aussage erahnen.

Wir leben immer mit den ungelösten Fragen: Warum gerade mir? Warum gerade jetzt? – Soll ich annehmen oder mich auflehnen? Gegen was, gegen wen und wie? Muß ich gegen etwas, das ich nicht ändern kann, nicht kämpfen sondern es einfach ertragen? Wie viele solche Zweifel begegnen uns im Leben. Im Älterwerden sind es die stillen, unaufhaltsamen Änderungen, Enttäuschungen wegen nie Erreichtem, nie Gelebten, diese herbstliche Melancholie, das Gefühl des Verlustes, bei dem wie die Blätter auch die eigenen Perspektiven fallen.

Dann die Beziehung zum Tod. Ängstlich hat er uns gemacht und oberflächlich. Wir verdrängen das Sterben, weil es nicht in unsere Vorstellung von Selbstbestimmung passt, wo der Tod als unbegreiflicher Einbruch in die Ordnung unseres Lebens verstanden wird. Das führt zu Ängsten, Mut- und Sinnlosigkeit. Aber es gibt auch andere Stimmen – Gläubige sehen im Tod einen tröstlichen Sinn.

Man muß aufhören können, heißt es, neu anfangen, wenn etwas gescheitert ist, nach einer zerbrochenen Beziehung, nach dem Verlust eines Arbeitsplatzes, im Alleinsein des Krankseins oder wenn man mit sich und der Umwelt nicht mehr zurecht kommen kann. Dann sich sagen: Hier gibt es kein Leben mehr für mich, Weggehen! – Dazu gehört Mut oder Vertrauen auf Gott. Der sagte auch zu Jakob: Geh weg von hier, such dir einen neuen Platz. Nimm Abschied! Ich gehe mit dir. – Jakob hatte Mut. Und wenn der Mut nur wie ein Strohhalm wäre, an den man sich klammert – das steht für unsere wunderbare, oft unvorstellbare Fähigkeit, alle Hoffnungslosigkeit gegen Hoffnung zu tauschen.

Rainer Maria Rilke schreibt in einem Brief: „*... ich möchte Sie, so gut ich es kann, bitten, Geduld zu haben gegen alles Ungelöste in Ihrem Herzen und versuchen, die Fragen selbst lieb zu haben wie verschlossene Stuben und wie Bücher, die in einer fremden Sprache geschrieben sind. Forschen Sie nicht nach Antworten, die Ihnen nicht gegeben werden können, weil Sie sie nicht leben könnten. Leben Sie jetzt die Fragen. Vielleicht leben Sie dann allmählich ohne es zu merken eines fernen Tages in die Antwort hinein.*“

Und vielleicht finden auch Sie, liebe Leserin, lieber Leser, in diesem Buch eine Antwort auf eine Ihrer Fragen. Und wenn Sie das Buch nur still aus der Hand legen – könnte Sie dann nicht der Gedanke aufrichten, daß Sie mit Ihrem Leid und Ihren Hoffnungen, mit Ihrer Verzagtheit und der unerklärbaren Sehnsucht nach dem Wunderbaren nicht alleine sind?

Theo Czernik
Ostern 2008

In der Frühe

Kein Schlaf noch kühlt das Auge mir,
Dort gehet schon der Tag herfür
An meinem Kammerfenster.

Es wühlet mein verstörter Sinn
Noch zwischen Zweifeln her und hin
Und schaffet Nachtgespenster.
– Ängste, quäle
Dich nicht länger, meine Seele!
Freu dich! schon sind da und dorten
Morgenglocken wach geworden.

Eduard Mörike
** 1804 † 1875*

Folgen

Funken gleich
aus gestocherten Feuern
fliegen die Vogelschwärme
über schwärzliche Felder
fern zerstiebend im Blau

Folgen
den Schwärmen
weit fort
ohne Wiederkehr!

Doch folgst du
dem Phönix –

zitternd verbrannt
kehrt er allem
entgegengewandt
lebendig zurück

Gabriele von Hippel-Schäfer

Wie wundenlos
die Pflanze sich
zum Lichte wendet,
wenn eine Hand sie umstellt.

Was blutet deine Seele,
wenn eine große Hand
die eingeschlagene Richtung
unterbrach?

Zitternd lebendig du –
brauchst zum Begreifen
mehr Zeit als die wortlos
verwurzelte Pflanze?

Nichts zerbricht,
wächst du anders herum,
zielt nur dein Wachstum
immer zum Licht.

Gabriele von Hippel-Schäfer

Stein und Stern

Am Morgen
warf ich einen Stein
mitten in den Brunnen.
Er war schwer gewesen.
Ich weinte noch etwas und ging fort.

Am Abend
sah ich einen Stern
mitten im Brunnen.
Ich griff nach ihm.
Er war leicht,
so licht,
nicht zu halten!
Er war nicht mein.
Und doch,
war er nicht mein verwandelter Stein?

O Stern,
du goldener Trost der Nacht –
wie sollte ich mich
nicht freun?

Gabriele von Hippel-Schäfer

Zäher Kämpfer

Immer wieder Phönix ...

Immer wieder aufstehen
Einst so leicht ...
Unmerklich und
Selbstverständlich
Die Schwingen ausbreiten
Zum freien Flug
Mit starken Flügeln ...
Noch keine Ahnung
Vom Prozess ...
Vom schleichenden Prozess
Der allem Leben innewohnt
Ein Keim der aufgeht
Immer ...
Doch das Aufstehen
Nun mühsam und
Voller Absicht
Trotzt dem Programm
Dem gnadenlosen ...
Der Don Quichote ist zäh
Und Kämpfer ...
Bis zuletzt

Gabriele Böhning

Neuer Horizont

Als er alles ließ
War er leicht
Leicht wie ein Vogel
„Hans im Glück“ …
Man nannte ihn
Arm und dumm …

Das befreiende Loslassen
Alter Gedanken und Dinge
Die Krusten sprengen
Die alten Hüllen
Verbrennen
Zu Asche …
Und mit neuer Leichtigkeit
Davonfliegen
Bis weit
Hinter den
Horizont …

Gabriele Böhning

Nur einmal

Immer der
Wind
gegen mich

wie ich mich
drehe
wo ich auch fahre

trifft er mich
von vorn
Härtetest

nur einmal
möge mich
Rückenwind tragen

über die eine Schwelle

Reinhold Ahr

Die Gabe

Angekettet an die Härte dieser Welt,
doch frei unser Blick
dank unserer Begabung,
dem Sinn für die Sinnlosigkeit.

Sie läßt uns verzweifeln,
Tag für Tag,
wenn die Adler kommen.

Doch wird Neid zu Bedauern und Trost
wenn unser Blick fällt
auf die andere Seite
zu Sisyphus –
dem fehlt
diese Gabe.

Jobst Quis

Kam, kam.
Kam ein Wort, kam,
Kam durch die Nacht,
Wollt leuchten, wollt leuchten.

Asche.
Asche, Asche. Nacht.
Nacht-und-Nacht. – Zum
Aug geh, zum feuchten.

Aus Paul Celan: *Engführung*

*

PHÖNIX

Komm, komm!
Komm, Wort, komm!
Komm zur Nacht,
Zum Aug komm, zum feuchten.

Glanz!
Glanz, Glanz! Licht!
Licht-und-Licht! – Was
Asche, wird leuchten.

Astrid Neu

Jahrestag

Schon als noch Hoffnung war,
stand ich am Fenster
und dachte:
Nie wieder!

Nie wieder
diesen Blick.

Ich hatte Angst
vor dem Frühling,
den Märzenbechern,
der ersten Amsel.

Jetzt, wo du tot bist
und das Jahr sich rundet,
stehe ich wieder am Fenster
und weiß:

Der Schmerz
ist nicht fort,
aber er hat
eine verwandelte Sprache.

Die Birken,
die du so liebtest,

sehe ich nun
mit deinen Augen,
siehst du nun
mit meinen Augen.

Ich freue mich
auf den Frühling,
die Märzenbecher,
die erste Amsel,

so oft das Jahr sich rundet,
so lange

bis eines Tages
jemand anders am Fenster steht
mit meinen Augen,
mit deinen Augen.

Detlev Block

Über den Berg gesungen

Wenn der Wind nicht wäre
und die Wolke im Blau,
nähme ich alles Schwere
viel zu schwer und genau.

Würde nicht Nähe zur Ferne,
Letztes von Zweifeln erreicht,
wäre der Weg, den ich lerne,
vordergründig und leicht.

Wenn nicht Geheimnis bliebe,
was mir warum widerfährt,
wäre die Welt keine Liebe
und keine Traurigkeit wert.

Detlev Block

November

Die Farben fallen
von den Bäumen
und bräunen
sich zur Erde hin
durchsichtig
die Zweige zeigen
allen Sterbens
Widersinn.

Wo das alte Blatt
sich löste
längst
die neue Knospe weilt
– wohl dem
der seine Wurzeln
pflegte
er folgt dem Leben
auch
wenn die Farbe
ihm entweicht.

Bärbel-Wiebke Rasmussen-Bonne

Nimm die Maske
hell in der Nacht
verbirg dein Gesicht
mit den Zeichen der Trauer
deine Gewänder
schwarz
verblassen im fahlen Sternenglanz
das grosse Gelächter
klirrt schon im Morgenlicht
verrate dich nicht
geborgen noch
in der Dunkelheit
doch du wirst stehen
und gehen
in den neuen Tag
hoffnungsvoll

Katja Stehli-Christaller

Abend

Der schnelle Tag ist hin; die Nacht schwingt ihre Fahn
Und führt die Sternen auf. Der Menschen müde Scharen
Verlassen Feld und Werk; wo Tier und Vögel waren,
Trauert itzt die Einsamkeit. Wie ist die Zeit vertan!

Der Port naht mehr und mehr sich zu der Glieder Kahn.
Gleichwie dies Licht verfiel, so wird in wenig Jahren
Ich, du, und was man hat und was man sieht, hinfahren.
Dies Leben kömmt mir vor als eine Rennebahn.

Laß, höchster Gott, mich doch nicht auf dem Laufplatz gleiten!
Laß mich nicht Ach, nicht Pracht,
nicht Lust, nicht Angst verleiten!
Dein ewig heller Glanz sei vor und neben mir!

Laß, wenn der müde Leib entschläft, die Seele wachen,
Und wenn der letzte Tag wird mit mir Abend machen,
So reiß mich aus dem Tal der Finsternis zu dir!

Andreas Gryphius
** 1616 † 1664*

Triptychon

I.
Heb deinen Kopf
öffne die Augen

neu ist dein Tag
neu das Antlitz
das dir der Spiegel zuwirft

neu die Lust deiner Lippen
den Morgen zu küssen

neu auch die Worte
die der Wind zuträgt
sie nisten in deinen Ohren

II.
Als Träger von Lasten
sind wir geboren

aus der Erinnerung gezerrt
lernen wir früh
den Zyklus von Lachen und Weinen

lernen die Unschuld zu betten
auf ein Lager aus samtenen Träumen

lernen die Ängste zu tilgen
aus unseren Gedärmen

lernen schliesslich
– das Wägen im Blick –
die Tage zu schnitzen zum eigenen Bild

III.
Aus dem Schatten trittst du hervor
nimmst dir die Sonne zum Freund

deine Stunde ist da

der Marter der Ungeduld
gilt dein erster Schrei

deine Klage den Müttern und Vätern
und dem Erbe der schwärenden Wunden

den Krieg erklärst du
der Kälte der lieblosen Jahre

die blasse Armut des Alltäglichen
zertrümmerst du mit dem Stakkato deines Zorns

dein blutender Mund
beisst Scherben und Steine

der eigenen Stimme Widerhall
durchrinnt das Gehör

auf dem Boden kniest du
formst Hügel aus Asche und Staub
teigst sie an mit Lachen und Weinen
zum Brei deiner Sehnsucht

Klaus G. Rückel

Lösen

Jenseits
die trauer

keine fragen
was blieb

ungesagt
ungetan
ungelebt

keine fragen
was bleibt

nur noch
jetzt sagen
jetzt tun

werden
sein

Elisabeth Schaffert

Nachtschatten

erst wenn
das licht
sich
hinter wolken drängt
und dir
der schatten schwarz
den schein verdeckt
kannst du
den glanz der sterne sehn
im all
dir leuchten
zum geleit

*

Heimkehr

Schreib nur
Gedichte,
träume!

Schreib sie
wie Spuren
im Wind.

Schreib leis',
sprich wie die
Bäume,

schreib sacht,
als Heimkehr
ins Kind.

Oscar Stucky

Immer

Sich vor den Nachrichten verbergen
es den Krähen nachmachen
aufsteigen
dem Naturgesetz vertrauend
wenn die hölzernen Früchte
aufs Pflaster knallen
bis Nussgehirne aus ihrer Schale springen

immer wieder neu beginnen
und nicht aufhören wollen

Bernd Stadelmann

Heimatlos

Es gibt Augenblicke
wo ich heimatlos bin
und den Anhauch des Windes
in den Wurzeln verspüre

Augenblicke

wo der Fall der Blätter
meine Seele irritiert

Augenblicke

wo die Wurzeln
den Fall des Blattes spüren
und erzittern

Dann
sehnt sich meine Seele
nach einem Ort
an dem der Augenblick
Wurzeln schlagen
und die Sehnsucht
blühen kann

Hans-Jürgen Thiemer

Annehmen

Fließen
mit dem Strom
des Lebens,
sich ergeben
dem, was ist!

Wissen
um die Hand
der Liebe,
die dich leitet
und dich trägt!

Warten
in Geduld
und spüren,
dass dein Dasein
sinnvoll ist!

Hoffen,
ahnen voll
Vertrauen:
Deine Seele
kennt den Weg!

Atmen
ein und aus
und fühlen:
alles Leben
blüht im Jetzt!

Gisela Wimmer

Anstatt Blumen
für Paula

Was geschieht mit dem, was ich einst schrieb,
Für dich allein, mein Herz?
Gereimtes und auch Ungereimtes.
Vieles war ernst, manches auch komisch, selten
heiter.
Dein blindes Aug' hat jene Zeilen nie gelesen,
Und dein Gehör wurd' langsam taub für
Lautenmalerei,
Doch seh' ich oft dich lächelnd dirigieren
Ein Heer von Worten, die im Takt sich
rhythmisch wiegen.
Vielleicht wird irgendwann ein Leser
die Gedichte seiner Liebsten
Anstatt Blumen schenken?

Ingeborg M. Brauer

Nur das Licht ...

Nur
das
LICHT
vermag
uns
zu
richten
Verkrampfungen zu lösen
Verbiegungen zurechtzurücken
wenn
wir
dies
wollen
und
uns
ganz
n e u
zum
LICHTE
ausrichten

Gisela Benseler

Wenn der Hauch des Lebens versiegt,
sind es Gefühle,
Erinnerungen und Empfindungen,
wie diese,
die mich hoffen lassen,
daß es Flügel bekommt,
unser tiefstes Inneres,
und fliegt dann,
irgendwann,
gemeinsam über das Meer,
weit hinaus,
mit jedem Flügelschlag
ein bißchen näher.

Tatjana Anders-Alich

Gedicht inspiriert durch das Rilke-Projekt „Bis in alle Sterne“

Wieder weine ich
Tränen
für die
Leidenden
und
Glücklichen
dieser Welt.

Schon wieder
weine ich
leidend
glücklich
betend

für das
eigene
kleine Glück
und das
Ende der
Leiden.

Schon wieder
wie so er-
staunlich oft
dieses Jahr
gießt der
Heiland seinen
Regen aus.

Gott scheint
mich mit
Glück über-
schütten zu
wollen.

„Weine deine
Tränen!“
spricht er
mit mir.
„Trink' deinen
Wein mit
Freunden!“
höre ich ihn
sprechen.
Seine Stimme
ver-
klingt in
den Tönen
Rainer Maria
Rilkes.

Anne Clark
&
Martin Bates
singensprechen
mir
Mut
zu.

Michael Finzer

Erkenntnis

Vom dunklen Turm
flog ich im Traum
über einen See
aus Tränen und Angst,
bis ich eine Insel fand,
eine Insel aus Felsgestein.

Erwachend spürte ich dich
neben mir. Und ich begriff:
Deine Liebe ist die Insel,
deine Liebe mein Garten Eden!
Von dir geliebt zu sein,
welch ein Geschenk!

*

Altersgedanken

In mir
Leere?
Nein!
Irgendeine Weite
und das Gefühl
Grenzen
längst erreicht,
sogar überschritten
zu haben
in Zeit
und Raum.
Was ist das
für eine Welt
in der ich
jetzt lebe?

Heide Elfenbein

Gedicht des Tages

Heute zerriß ich den vorläufig
letzten Entwurf meines Lebens

die schwere Fahrt den Rhein hinauf
ins Land des Weins und der Kraftwerke
Soutanen und Hinterhofmoscheen

ins Schulpraktikum, in die Pflicht,
die Dinge der Welt einfach,
derb faßlich und fordernd vorzuwerfen
in der Hoffnung, daß etwas sich bewegt

den Atem anzuhalten
für den Zorn, der sich lohnt, und den Tag
nach überstandenem Kampf

Der Geist hätt mir geholfen
die Kraft, die unterscheiden kann,
Grenzen bezeichnet
und überschreitet mit Liebe;

der Kreuzstab, dem ich vertraue,
daß eine Aufgabe liegt,
wohin er führt;
unsere erbliche Sturheit

und die Schrift in der Hirnschale
aus großer Vergangenheit,
Gegenwart und Zukunft.

Überlieferung sieht auf mich
und sicherlich gäbe es auch dort
das Café und den Markt
für den Schwatz vor dem Sonntag

Bei uns wird es jetzt erst Frühling
unsere Studenten tragen Schwarz
in Erwartung der Marktgesetze
ich bin arbeitslos

wenn ich lehre spür ich
ruhige Heiterkeit
manchmal Begeisterung, Freude
über unverhoffte Beziehungen
altersweiser junger Leute

wir laufen außer Konkurrenz,
deshalb halten wir nicht uns für wichtig,
nur, was bleiben soll: die Freiheit des Atems,
den Geist, den Kreuzstab, die Schrift.

*

Gedicht zum Tage

Wie sinnlos
Ist eine Schule
Unbeteiligten Stofflernens

Wie trostlos
Ein Seminar
Als Versammlung von Menschen

Hoffnungsvoll
Wenn man die Aufgabe kennt
Und an ihr mithilft

Geistes Gegenwart
Durchdringen zu lassen
Und zu tragen

Esther-Beate Körber

Sehnsucht

Dies wird die letzte Trän nicht sein,
Die glühend herzauf quillet,
Das mit unsäglich neuer Pein
Sich schmerzvermehrend stillet.

O, laß doch immer hier und dort
Mich ewig Liebe fühlen;
Und möcht der Schmerz auch also fort
Durch Nerv und Adern wühlen!

Könnt ich doch ausgefüllt einmal
Von dir, o Ewger, werden –
Ach, diese lange, tiefe Qual,
Wie dauert sie auf Erden!

Johann Wolfgang von Goethe
** 1749 † 1832*

Heute ist der Tag

heute ist der tag
an dem mein stern die neue strophe schreibt
an dem die sehnsucht geht und keine träne bleibt
heute ist mein tag

das weiße pferd trägt mich durch weite steppen
und bringt mich fort ins land der himmelstreppen

es klingt ein lied
das jeden abschiedsschmerz vergessen lässt
das meinen weg begleitet zu dem großen fest
ich sing das lied

mein morgen ist ein anderer
ich bin ein wanderer

Cornelia Chudzinski

Herzinfarkt

Geplatzt sind all deine Träume,
ertrunken im eigenen Blut!

Gestaut alle Herzensströme,
zum Leben keine Ader mehr gut.

Gestoppt im Nu die Lebenswege,
dein Geist geschwärzt vom Tod.

Gehemmt der Fluss des Stromes
von nun an stets lebensbedroht.

Gerettet aus den Klauen der Sense
schreibst Du noch dieses Gedicht,

Guckst froh dem vertagten Ende
bewusster ins helle Gesicht.

Mathilde Gündisch

Sieh mich an

Sieh mich an,
sagt Dagmar und lacht,
sieh mich an, wenn du sprichst,
ich sehe, was du mir sagst.
Dagmar ist taub.
Ich spreche in Dagmars Augen.

Dagmar läuft über die Wiesen,
sie umarmt das Leben
und singt

Bei mir drinnen, sagt Dagmar,
da klingen die Lieder schön,
trösten meine Traurigkeit,
aber draußen
klingen sie sicher fürchterlich.

Bei dir drinnen, antworte ich,
da ist deine Welt.
Dein Singen bringt etwas davon
zu mir nach draußen,
das klingt wunderbar.

Sing weiter, Dagmar,
es tröstet auch meine Traurigkeit.
Wir singen gemeinsam.

Gisela Rest-Hartjes

KZ-Dachau

meine füße gehen über steine
für jeden toten einen stein
meine füße gehen über tote
jeder schritt ein trauerlied

meine augen suchen das leben
die steine bedecken alles
meine ohren suchen dein lachen
die steine singen dein kaddisch

für jeden toten einen stein
wer ohne schuld werfe den ersten
die steine bedecken alles
jeder schritt ein trauerlied
die steine singen dein kaddisch

eine brücke führt über das wasser
das wasser fließt eilends davon
der stacheldraht kann es nicht halten
die münzen darinnen für charon
die brücke führt in den tod

für jeden toten einen stein
wer ohne schuld werfe den ersten
die steine bedecken alles
jeder schritt ein trauerlied
die steine singen dein kaddisch

es gibt ein loch in der mauer
aus dem garten vom heiligen blut
singt die amsel ein neues lied
vom leben unter den steinen
vom leben in der wüste
ein lied vom leben

Gisela Rest-Hartjes

Und doch
(in eigener Sache)

Natürlich weiß ich,
dass nach Auschwitz
Gedichte schreiben kaum noch geht,
dass Liebe Treu und Herzschmerz
uns nicht mehr zu Gesichte steht:
Das Ganze hört sich nicht authentisch an.
Und doch
die Bachmann hat es auch getan.

Natürlich weiß ich,
dass die Erde sich
ganz ohne mich an ihrem Lote dreht
und dass ihr Ungeheures,
uns ungeahnt, noch zu Gebote steht,
dass sie uns schnell zur Schnecke machen kann.
Und doch
der strenge Vers hält mir die Welt in Bann.

Natürlich weiß ich,
dass das Wort nicht reicht,
mich der Gesichte Fesseln zu entrücken,
und dass noch Ungeplantes lauert
hinter manch fassadenreichen Lücken,
durch die mein Vers ins Nirgendwo verweht.
Und doch
gerät aus meinem Vers gedreht
manchmal das Band in Schwingung,
denn es pulst und atmet doch.
Ich schließe meine Augen zu
und in meinem Reime stehend,
der die Erde sorgsam hält,
und beim Schwindel, der mich doch befällt,
komm ich, in diesem Seil mich drehend,
ihm zermählt zur Ruh.

Uta Harst

Sulzburg
Sechsundfünfzig Jahre danach

Im Dunkel
über dem alten jüdischen Friedhof,
im Schatten
seiner verwitterten Steine,
die langsam
ins Dunkel der Erde versinken,
heimkehrend
wie die,
an die sie erinnern,
wartet,
in nachtschwarze Trauer gehüllt,
der Engel,
der einst uns den Weg wies,
zum fraglosen Verzeihen.
Sein Stern leuchtet nicht mehr,
auch er ist im Dunkel versunken,
Tränen
löschten sein Licht.
Vielleicht wird einst –
wenn kein Vergessen mehr möglich –
der Bergmann geboren,
der wieder –
wie einst seine Ahnen
glänzende, farbige Steine
aus dem Schoße der Erde bargen –
nun den gewandelten Stern
aus der Tiefe der Erde hervorholt.

In welchen Farben
wird er dann leuchten?
Wer von uns wird
den gewandelten Schmerz
freudig erkennen?

Die gefrorenen Blüten
der Worte
auf den Gräbern
der früh Dahingegangenen
duften
die Art ihres Todes,
mit all seiner Liebe,
mit all seinem Hass.
Lebende sehen und riechen
die gefrorenen Blüten
und erinnern sich nicht.

Kinder werden geboren,
um bald wieder zu gehen
im Alter von einst.
Sie ersticken nicht
am Gas,
an Hass und Angst,
sie ersticken
an den verschwiegenen Worten,
die nächtens erblühen
auf ihren winzigen Gräbern.
Ihr Duft weckt Sehnsucht,
Sehnsucht, auch Hass zu verzeihen,
und langsam
verschwindet
der bittere Mandelgeschmack.

Für Paul Celan

Helga Thomas

„Die wahre Liebe ist eine Frage der Kunst“
(Alina Reyes)

Spricht ER IHRE Sprache nicht
gleicher Muttersprachen
anders doch durch Zeit und Raum
langer Jahre Sein daneben.
Kennt SEIN Sprechen, SEIN Gesicht
wieder SIE, SEIN Tun und Lachen,
sieht vergangenes als Traum
und die Zukunft BEIDER Leben.

Faßt nicht, was des Alltags Bahnen,
IHR an Aufgaben erzwingen,
ist auch blind für IHRE Zeit,
die IHR vor der Zeit zerfließt.
Nach und nach kann ER erahnen
auch die Kraft aus dem Gelingen
und das Glück aus Müdigkeit,
das aus IHRER Arbeit sprießt.

Nah einst, ferne Traumgestalten,
fremd sind SIE sich nah gekommen,
spüren nach den Spur'n der Zeit,
als SIE näher sich einst waren.
Um das Nahsein zu erhalten,
geht IHR Seelenblick verschwommen
über die Vergangenheit
in das Jetzt – und mit den Jahren

weit voraus,
nicht mehr allein.

Karl-Adolf Günther

Brenne Phoenix

Aus der Nacht der Schattenschwärme
sich ins Tageslicht gerettet,
fühlen trotz der Sonnenwärme
sich in Finsternis gebettet.

Brenne Phoenix und entfliehe!

In dem Lichte schnell vergessen
sind die Stunden voller Leid.
Glück, sobald nur kurz besessen,
giert nach der Unendlichkeit.

Fliehe Phoenix und verwandle ...

Erst der Blick zurück ins Eise
fühlt die Wärme neuen Lichts.
Heimatlose Zukunftsreise
zeugt Verlangen, sieht doch nichts.

Wandle Phoenix und erneuere
Leben mit Gelebtgewesen

Karl-Adolf Günther

Feuer und Asche

Zärtlichkeit Hingabe
Feuer Glut
Elektrizität Entladung
Zärtlichkeit Trennung Schlaf

Ach der Morgen kommt
Ist es die Lerche
Leider nie nachts
eine Nachtigall gehört

Ja der Morgen wird kommen
und mit ihm die Arbeit
die Klarheit oder die Unsicherheit
die Leichtigkeit oder der Trott
Harmonie oder Spannung
Bindung oder Freiheitswille
Wir ein Spielball des Unbewussten

Wird das Feuer der Nacht
uns weiter erwärmen
Können wir's speichern
Etwas verascht immer
Doch: Phönix will ich sein ...

Brigitte Gutmann

Trost

Wer Weinen zulässt,
lächelt erlöster.

Wer den Abschied bejaht,
kann freier beginnen.

Wer Werte bewahrt,
spürt neben aller Vergänglichkeit
die geistige Zeitspirale des Seins.

Wer im Tod Natur sieht,
erkennt durch den Schmerz,
trotz aller Grausamkeit,
den Sieg des Kreislaufs Leben.

Brigitte Gutmann

Wenn ich sterbe

Wenn ich sterbe,
möchte ich in einem Garten liegen,
damit Blätter leise
auf mein Kissen fallen
und der Wind mir weich
über die Haut streicht
und mir sachte einen Mantel umlegt
und mich aufnimmt
als würde ich im Arm gehalten werden,
und dann möcht ich fliegen,
schwerelos fliegen,
schmetterlingsgleich

fliegen ...

Elke Dorothea Hagen

Meinen Namen

Manchmal geh ich
durch die Straßen
und dann seh ich
dein Gesicht.
Manchmal ist mir,
du riefst meinen Namen,
ich hör dich und such dich
und finde dich nicht.

Plötzlich ist da
unheimliche Stille,
für einen Moment
bleibe ich stehn,
einem inneren Echo
zu lauschen –
und dann lächelnd
weiterzugehn.

Elke Dorothea Hagen

Wenn ich dich spüre,
großer Engel,
wenn du nachts eintrittst
in mein Zwischenreich,
wenn du aus der Kerzenflamme
steigst,
dein Licht breitest
über meine Welt,
dann öffne ich alle Gärten
für dich,
zaubere Rosenknospen dir
zu Füßen.
Ich schenke dir
die Regenbogenstunden
mit dem Klang der Hoffnung.

Ich möchte dir danken,
großer Engel.
Du hast mich geführt
über schmale Grate,
über schmerzvolle Wegstrecken.
Wie oft hast du
mit deinen Flügeln
mein Weinen zugedeckt, behutsam.
Hast mich aufgefangen,
als ich ins dunkle Unbekannte fiel,
hast deine Liebessprache tief
in mich hineingelegt.

Bleib bei mir
auch wenn es spät wird.

Susanne Moser

Aufgespießt die Rubinsonne
an den Kahlästen.
Langsam verblutet der Himmel
und ich blute mit.
Möchte der Nachtschwärze
entkommen.
Schneller, schneller
greift das Dunkel
nach mir,
herausgerissen das letzte
Licht.

Angst strömt aus den Poren,
auf meiner Flucht
zertrete ich diesen Rest
vom Tag,
der mich zugeschnürt hat,
zur Wortlosigkeit
verurteilt.

Aber irgendwann
wird der kommende Morgen
wieder sein Silber
ausstreuen.

Susanne Moser

Die Laterne

Schon wieder

fällt
ein Stern
vom Himmel herab.

Schon wieder

entspringt
eine Seele
ihrem Körper.

Der Himmel
ist

schon wieder

dunkler
und unheimlicher geworden.

Aber
für die Seele
erstrahlt glorreich
eine paradiesische Laterne.

Eva Krüger

Ge-Halten

Haltung bewahren
im Kopfüber
Aushalten
wenn Schatten Wurzeln schlagen
du in den Seilen hängst
ausgespannt zwischen Sonne und Mond

Durchhalten
so lange bis
Wurzeln treiben
aus deiner Mitte:
Luftwurzeln
zu Flügeln geflochten
Die neue Freiheit.

Ursula Kaiser

Kinderkram

Lieber
pflegte ich zu sagen
Lieber Gott
mit Kindermund
mit Kinderaugen
aufgeblickt

Doch mit den Jahren
hat mein gefräßiger Verstand
stolz und nimmersatt
den Kinderglauben
angenagt
und verbissen
totgegrübelt

Nur nachts
wenn alles Denken
endlich schweigt
hör ich es weinen
das Kinderherz
und traurig flüstern:

Lieber Gott!?

Ursula Kaiser

Die Schrift entdeckt

Ich habe meine aufgeschlagne Seele
samt sieben Plagen aus dem einen Jahr
auf einen Berg geschleppt
die Enzyklopädie des Leids durchwühlt
und wieder zugeschlagen:
die Striche, Stiche
schwarz in schwarz nicht mehr zu lesen

In Sonnenflecken eingehüllt
die goldgewirkt aus Zweigen drängen
an lichte Stämme wollte ich mich hängen
daß sie mich fassen, mit sich tragen ...
bis ich zuhöchst in aufgehobner Höhle
des Moosbehanges Schrift entdeckt:

Viel wunderliche Zeichen, Erleuchtung
zwischen Harz und Quarz. Urworte
fremden Munds. So dem Geheimnisreichen,
dem Anderen, dem Heiligen begegnet
das uns begeistert und erschreckt.
Ich stürzte nieder von dem Berg
und brach ins Knie als wie gesegnet.

Eva Kittelmann

Schon öfters

Schon öfters war da
nichts als Asphalt-Leere in mir.
Schon öfters wollte ich
aufgeben für immer.
Immer wurde ich verstoßen, zurückgestoßen,
zum Narren gehalten, verhöhnt,
ausgenützt – und verlor mich beinahe selbst.
Ich weiß nicht, warum.
Vielleicht ist es mein Karma?
Vielleicht ist es, daß ich mich
so schlecht wehren kann.
Zum Glück habe ich meine Schreibmaschine,
die kennt mich, meine Gedanken
und meine Seele.
Und kaum beginne ich,
ein Gedicht zu schreiben,
eine kleine Geschichte,
da fühle ich mich schon besser.
Oft sogar frei und auch glücklich beinahe!
Vergessen ist alles um mich her.
Vielleicht wartet irgendwo
jemand auf mich. Oder denken meine Kinder,
mein Mann an mich? Möglich.
Aber irgendetwas gibt es – phönix-haft darüber
hinaus.

Brigitte Pixner

Hast du Töne?!

Hast du Töne?!
– Da blüht doch tatsächlich
noch der Weißdorn!
Weiß, wie es sich für ihn gehört.
Und am selben Ast hängen doch schon
die schönsten roten Beeren!
Ja, ist denn dieser Weißdorn verrückt?
Tut so, als wäre es Herbst
und g l e i c h z e i t i g Frühling!
Weiß er nicht, daß wir bereits
den dreiundzwanzigsten September schreiben?
Und daß die Sonne bald noch weiter
südwärts zieht?
– Er weiß es nicht, dieser
hübsche, übermütige Weißdorn!
Aber wer weiß schon etwas Endgültiges?
Wahrscheinlich denkt der naseweise Strauch
sogar wie ich: DOPPELT hält besser!
Und zu spät ist es NIE!
Nicht für Dich, nicht für mich!

Brigitte Pixner

Hoffnung

Und wenn ich auch gehn muss
Durch Todschattenschlucht
So fürcht ich kein Unheil.
Hatte ja einmal gefasst den Entschluss,
Nicht nur und stets auf der Flucht
Zu sein und mein Teil vom Leben
An sein Bild zu geben.
Ich geh durch die Täler der bergigen Welt
Nicht wissend was dort mich erwartet.
Gastmähler hab' ich euch vorgestellt.
Verratet mich nicht an den Geist der Nacht!
Sein Licht
Hat mir eben noch Hoffnung gebracht,
Wo die Todschatten dräuten
Und Schluchten sich gruben
Bei feindlichen Leuten und böswilligen Buben.
Ich fürchte nicht Angst noch falschen Humor
In den zackigen Wänden der Felsen.
Auch wenn du verlangst am geöffneten Tor
In blutigen Händen die Sensen,
Dass ich dir alles, alles
Ausliefere, was mich getragen.
Dir wird nicht gelingen mich abzubringen
Von grünender Liebe, von Hoffnung und
Von wohligem, warmem Behagen!
Die Schatten des Todes verblassen vor dir
Und schwinden in nichtige Spalten.
Dort frisst sie das tapsige, schwarze Getier.
Und ich bleibe sicher:
Zusammen sind wir in seinen Tatzen gehalten

Franco Rest

Rosenblatt

Das Gold hat sie geblendet;
Denn manchmal kann Schmuck
Ja auch sprechen
Bei Frauen mit Prinzipien zum Beispiel
Und bei anderen Metaphern mit Gewicht.
Denn das Pendel gehört nun einmal
Nicht zur Uhr allein.
Aber wann ist Ihnen denn
Ein Zacken aus der Krone gefallen?
Oder haben die Steine
Von Idar-Oberstein
Keine Durchsetzungskraft mehr?
Die Gefangenen der Termine
Leben immer wieder ohne Zeit
Und werden dabei niemals frei.
In jener Stadt ohne Bewohner
Gibt es eben keine Diamanten mehr.
Aber Leben ohne Angst
Ist eine Expedition zum Vergnügen.

Franco Rest

Flüchten

aus der Atemlosigkeit
Zeit
in die eigene Tiefe

Träume pflücken
auf dem Wege
nach innen

und hoffen
auf der bunten Wiese
der Gedanken
wieder einmal
sich selbst zu begegnen

*

Inselzeiten

Abends
wenn die Wogen des Tages
sich glätten
gleite ich auf eine Insel
vergrabe meinen Wortschatz
bade in glitzernder Tiefe
schichte die Niederlagen auf
und entzünde ein Feuer

Da wärmen sich dann
meine Träume

Monika Peters

Der Sehnsuchtsvogel

Es war der Sehnsuchtsvogel
den ich ausgesandt
um meine Liebe zu retten
als die Schicksalsschlange
sich zweifelnd wand
um das Spiel der Marionetten

Es war der Sehnsuchtsvogel
den ich wieder fand
in der Asche meiner Trauer
als alles Scheinen abgebrannt
sang er zu mir von Dauer

Cordula Ruttmann

Schwere Sorgen

In meiner Trauer
ist mein Reichtum enthalten
in meiner Wut
meine Kraft
meine Phantasie
lässt sich nicht verwalten
mein Antrieb
ist meine Leidenschaft

Wie kann ich
das alles koordinieren
und zu einem Leben gestalten?
Ich möchte mich
nicht so einfach verlieren
was soll ich
davon noch halten?

Ein Schaukelstuhl und eine Kerze
so lass ich mich
träumend wiegen
indem ich
die Schwere schwebend verschmerze
und meine Sorgen versiegen

Und immer sind's die Gefühle
die brennen
und drehen
in meinem Getriebe
in der kleinen Flamme
kann ich sie erkennen
dort tanzen die Geister
der Liebe

Cordula Ruttmann

Auf dem Lebensweg

Ich spüre
dass ich end-
lich bin
und suche
nach dem Lebenssinn
mal scheint er hier
mal scheint er dort
ein Weg steht nicht
an einem Ort
und viele Wege
führn nach Rom
das Glück
hat ein AD-Syndrom
ja so sinnier ich
vor mich hin
ich spüre
dass ich endlich –
bin

Cordula Ruttmann

Phönix

Es war einmal ein Vogel sagenhaft
er sah die Menschen jung und schön und alt
er wollte nicht ergraut und hässlich sterben
die ewge Jugend war sein Traum auf Erden.

Und wie er sinnt, wie dies wohl möglich sei
da stirbt ein Mensch, man schaufelte kein Grab
im Feuer wird der Tod verbrannt – Vorbei?
Die Seele schwingt im himmlischen Gewand

so jung und schön! Sein Traum wird Wirklichkeit
Mit Todesmut er stürzt ins Feuermeer
verjüngt der Vogel aus der Asche steigt ...
und spürt und fühlt der Seelen Seligkeit.

Elisabeth Slowenski

Frühlingserleben

Wieder rauscht ein Frühjahr,
und wieder ohne dich;
allein im Blütenzauberduft,
atme tief und sehne mich.

Frühlingstrunken, traurigfroh
schau ich meine neue Welt,
spüre, wie die Ketten sprengen,
wie das Alte von mir fällt.

Sinnend gleitet Ich voran,
Gedanken huschen so verloren,
Träume ziehn wie Nebel hin,
als ob die Zukunft auserkoren.

Unser Frühling scheint ein Dichter,
öffnet Geist und Sinne weit,
schenkt mir Kraft trotz Einsamkeit,
Hexenduft und Kerzenlichter;
schwere Bücher schreibt die Zeit!

Paul Grün

Und das Meer
Teilte sich
Und ich ging hindurch
In das Land in dem
Milch und Honig fließen
Und die Schatten
Ägyptens
Ertranken in
Den Fluten.

*

Die Taube
Fliegt nicht mehr
Findet keinen Ölzweig
Unter all der Härte.
Wartet
Hinter Felsen
Auf das
Was noch nie war.

*

Tausend Briefe an mich selbst
Mit ungesagten Worten
Dünne Seiten
Eng beschrieben
Umhüllt von Rosenblättern
Gewachsen in
Ewigkeitsstunden.

Holger Breuer

Vorbei sind

Vorbei sind gekürzte Worte,
Einsamkeiten
und mein Schlaf aus Blei.
Mir zittern Träume
mit kühlen Fingern an meiner Stirne,
und vielleicht gelingt mir
an offenen Fenstern
wieder der Schritt hinaus in die Fremde
eines uralten Lieds.

Vorbei sind geschwärzte Trauer,
Verlorenheiten und meine Nacht aus Blei.
Mir flattern Flügel
mit kühlen Farben um meine Stirn,
und vielleicht gelingt mir
an geöffneten Tagen
wieder der Flug hinaus in die Ferne
eines uralten Lieds.

Vorbei sind verworrene Ängste,
Dunkelheiten
und meine Arme aus Blei.
Mir schwirren Vögel
mit hellen Schlägen um meine Stirn,
und sicher gelingt mir
an Himmeln aus Licht
wieder der Weg hinaus ins Blaue
eines uralten Lieds.

Siegfried Swiderski

Ein Tag im November

An einem Tag im Monat November,
da war es plötzlich sehr kalt geworden,
und der Nebel verschlang
die klaren Umrisse des Baumes.

Und doch bereitete
gerade dieser Tag im November
schon im Geheimen
den Frühling vor.

Kurt F. Svatek

Heimkehr

Dreh dich
Zeit
schenk mir
ein gutes Samenkorn
von einem
glücklichen Stern
dass ich es
pflanze
in dieser fremden Erde
und es
Frucht trage
auf
dürrem Boden
Wurzeln schlage
Baum werde
grün
voll heiterer Vögel
die mich
des Lieds erinnern
das
ich vergaß

Brigitte Schubert-Oustry

Seelenleben I

Ich will mein wildes Leben
niederschreiben
hier, jetzt
auf einem Blatt

und will es
treiben lassen
stundenlang
in diesem Wind

bis es
fallen mag
auf irgendeinen
paradiesischen Platz

und sich biege
unter
einem Auge

das vom Hingang
der Zeit weiß

Wolfgang A. Windecker

Seelenleben II

Wie verwirrte Vögel kreisen
schwarze Gedanken. Ich bin leer.
Draußen wandelt der Schlaf mit
leisen Schritten hin und her.

Von der Fee Lippen schweben
Worte wie verwelktes Laub.
Wie eine Maus huscht das Leben.
Warum bin ich nicht taub, Nacht?

Was bedeutet das? Grübeln.
Tadelst du mich, bist du zornig?
Was mir heute nicht gelang,
was schulde ich dir?

Hör dich reden, hör dich gehen,
was hast du mir gebracht?
Verstehen möchte ich dich,
Nacht, deine dunkle Sprache.

Wolfgang A. Windecker

November

Ich wünsch mir einen Augenblick
mit dir im Schnee
im Schnee
der viel zu früh gefallen ist
denn letzte Haselnüsse
hängen noch an Zweigen
die Wiese ist im Nachtfrost
wie erstarrt
und Rauhreif hält sie weinend
in den Armen
wie eine Mutter fasst
ihr früh verstorb'nes Kind
und trotzdem Hoffnung trägt
in ihrem Herzen.

Jutta Gerhard

Stirb und Werde!

Mein Freund,
noch immer schmerzen Jahreszeiten
tief in meiner Seele,
ich lass die inn'ren Blätter meines Herbstes geh'n
damit sie losgelöst
auf meines Herzens Grund und Boden
die neue Nahrung bilden
für meinen Seelenfrühling ... bald ... ganz bald.

Und ja!
auch dort will ich dich wiedertreffen,
weil du mir Heimat bist
und tief verbunden.

Gila Hartmann

Gedankenreime eines Weltenwanderer

Zu wenig
beachten wir sie bewußt
in unserer Nachtbefangenheit
die Sternstunden geistiger Lebenslust
im Raum der
Erdentwicklungszeit

Planetenstaub
macht unsre Augen blind,
bis Geist empfunden wir es erahnen,
daß wir hier nur Gäste und Lebensschüler sind,
unterwegs zu ewigen,
höheren Lebensbahnen.

Im vergänglichen
Naturkreislauf der Welt, lernen wir
embryonale Körper belebend zu begreifen –.
Natur wesenhaft gewoben, fötal bereitgestellt,
gestalten und beherrschen wir sie,
um darin als geistige Wesen zu reifen.

Als Lichtgeistfunken
in diesen Weltenraum hineingeboren,
wähnen wir, daß er uns Paradies und Heimat sei –
bis uns bewußt wird, daß wir irrend uns tief in ihm
verloren, und nur mit geistbewußter österlicher Lebens-
Kraft, wie Phönix aus der Asche, leuchtend, zu unserer
Geistesheimat aufsteigen, können,
Licht beschwingt – schwerelos, von
allen technisch materiellen Schlacken frei.

Paul H. Wendland

Dem unbekannten Gott

Noch einmal, eh ich weiter ziehe
Und meine Blicke vorwärts sende,
Heb ich vereinsamt meine Hände
Zu dir empor, zu dem ich fliehe,
Dem ich in tiefster Herzenstiefe
Altäre feierlich geweiht,
Daß allezeit
Mich deine Stimme wieder riefe.

Darauf erglüht tiefeingeschrieben
Das Wort: Dem unbekannten Gotte.
Sein bin ich, ob ich in der Frevler Rotte
Auch bis zur Stunde bin geblieben:
Sein bin ich – und ich fühl die Schlingen,
Die mich im Kampf darniederziehn
Und, mag ich fliehn,
Mich doch zu seinem Dienste zwingen.

Ich will dich kennen, Unbekannter,
Du tief in meine Seele Greifender,
Mein Leben wie ein Sturm Durchschweifender,
Du Unfaßbarer, mir Verwandter!
Ich will dich kennen, selbst dir dienen.

Friedrich Nietzsche
** 1844 † 1900*

Zuflucht

Verletztes Leben
wie ein kranker Vogel
wehrst du dich flatternd.

Berge dich
in liebender Hand
und suche Schutz.

Halt still.
Steck deinen müden Kopf
unter den Schatten
eines Engelflügels.

Sammle so Kraft
zu freiem Flug
in neuen leuchtenden Tag.

Marga Neuner

Adventus

Was du als den Ruf des Todes hörst,
ist Sein Ruf ins Leben,
die ewige Erfüllung
und Vollendung.

Was du als Ende empfindest,
ist Überfahrt zum anderen Ufer,
an dem Er steht
und auf dich wartet.

Was du als Ausgang wahrnimmst,
ist Eingang ins unbekannte
und unvorstellbare Land.

Was du als Untergang erleidest,
ist Aufgang der Morgenröte
in einen neuen Tag.

Was dir als Abbruch widerfährt,
ist Anbruch der Ewigkeit,
der letzte Aufbruch ins Offene,
in den ewigen Raum
deines Hoffens und Sehnens.

Jeder Abschied
verheißt neues Ankommen.

Benedikt Werner Traut

Verborgenes Leben

Das Samenkorn,
der Kokon,
die Raupe.

Geheimnis der Schöpfung,
verhüllte Erscheinung,
verborgenes Leben.

Durchgang und Übergang,
Wandlung
zur neuen Gestalt.

Die Perle
entsteht aus der Verletzung
der Muschel.

Die Hülle wird gesprengt,
Neues ist geboren.
Wir staunen.

Benedikt Werner Traut

Gross ist das Geheimnis

Der Glaube im Zweifel,
die Freude im Leid,
die Stille hinter dem Lärm,
die Höhe in der Tiefe,
die Glut unter der Asche,
der Geist in der Materie,
die Fülle in der Leere,
die Ewigkeit in der Zeit,
das Leben im Tod.

Groß ist das Geheimnis
jenseits der Gegensätze –
als Ganzes
in Einheit
von oben
zusammengehalten.

Benedikt Werner Traut

Einsamkeit

Obwohl von Sterbensseufzern ausgezehrt
in menschlichen Bindungen verloren
von Einsamkeit bedrängt
trotzt unser eigenmächtiges Streben
der vollkommen Liebesentäußerung Gottes

War Einsamkeit je trächtig
so macht das Kreuz sie übermächtig
enthebt die stummen Sehnsuchtsschreie
liebesgetränkt zu Gottes heiligem Ohr

Herr, erbarme dich meiner armen Seele
entreiße sie tödlicher Verlassenheit
trage sie zu göttlicher Einsamkeit empor
durchwaltet von jener Liebe
die mich vor aller Zeit
zum ewigen Leben auserkor.

Hortense von Gelmini

Verharr nicht im Dunkel

Verneigend schwinden Tag und Nacht
versiegeln still Gezeitenräume
umwalten einverwandelt Pracht
vertäuen lichtgetränkte Schattensäume

Göttlichen Kusses durchflutet
ziehen Sternenlichter ihre Bahn
deuten geistdurchblutet
schmale Himmelsstege an

willst du nicht kommen
trunken von Glück
selig benommen
vom Lichte entzückt

verharr nicht im Dunkel
Zeit zieht dahin
Schattengemunkel
vereitelt Beginn

Hortense von Gelmini

Sorgen ent-sorgen

Ent-sorgen
Die Sorgen
Von gestern
Und heute
Vor Morgen
Denn morgen
Sind neue Sorgen
Zu ent-sorgen

Es werden sonst zu viele
Zu ent-sorgen

Noch besser:
Heute und morgen
Und immer
Alle Sorgen
Im Gebet
Zu Gott bringen
Weil Er für uns sorgt
So also die
Sorgen ent-sorgen!

Marianne Kawohl

Vielleicht

Vielleicht
Nur
Eine Fatamorgana
Ein Licht-Spiel
Ein Liebes-Spiel
Ein liebes Spiel
Ein Hoffnungsschimmer
Eine schimmernde Hoffnung
Daß in mir
Licht und
Leben und
Liebe
Wie verlöschende Glut
Unter grauer Asche
Vielleicht
Doch
Noch
Irgendwann
Wieder
Einmal
Glühen
Und
Entflammen
Kann

Vielleicht

Marianne Kawohl

Die Traurigkeit verschwand

Die Wand
Die mich umwand
Das Gewand
Das mich umband

Verschwand

Die Traurigkeit verschwand
In unerreichbar fernes Land
Schwebende Heiterkeit entstand
Als Glück die Krise überwand
Welch neuer Lebensstand
Als die Traurigkeit

Verschwand

Marianne Kawohl

Meine Augen sind jetzt deine Augen
(Zum Einzelholzschnitt „Die Blinde“ von Frans Masereel)

Meine Augen sind jetzt deine Augen.
Meine Worte sagen, was du siehst:
Sie sehen, wem wir widerstehen
und mit wem wir weitergehen.
Wer was wogegen tut.
Was böse ist, was gut.

Meine Augen sind jetzt deine Augen.
Meine Worte sagen, was du siehst:
Da teilen Licht und Schatten,
wo unsere Liebe wohnt.
Und unsre Träume hatten
Gleichgültigkeit entthront.

Meine Augen sind jetzt deine Augen.
Meine Worte sagen, was du siehst:
Wer nimmt, der muß auch geben.
Wirst du mich nun verstehn?
Und wirst du nun dein Leben
lang mit den andern gehn?

Meine Augen sind jetzt deine Augen.
Meine Worte sagen, was du siehst:
Sie sehen, wem wir widerstehen
und mit wem wir weitergehen.
Wer was wogegen tut.
Was böse ist, was gut.

Meine Augen sind jetzt deine Augen.

Jürgen Molzen

Erster Schnee

Schnee fällt uns mitten
ins Herz
Die Saat, die aufgeht
bis an den Horizont der Erkenntnis
In Geometrie
teilt sich die Welt

Kristallklar die Nächte
Träume vom Äquator
und doch
eisiges Schweigen
im November
der sein Gefieder
vorauswirft
in das Reich der Toten

Schnee fällt uns aufs Haupt
die Locken von Apollo
Gedanken läuternd
Silberschein in den Augen
von Andromeda
der Tochter des
Weltalls
Nur der Glaube
rettet vor dem
„Krieg der Sterne".

Franz Graf

Ich bin

Ich bin im Sturm, ich bin im Wind,
greif in die Kronen von Bäumen und Flut.
Begeistre alle, die um mich sind,
und mische mich in ihr ruhiges Blut.

Ich schwebe über Berge und Wellen
flügelschlagend im Rhythmus der Dinge.
Bin in der Substanz der grauen Zellen,
so dass ich immer Erneuerung bringe.

Auch wenn ich im Feuer zu Asche verbrenne,
bis nur noch erglimmt ein Funken der Glut,
dass er vom sterblichen Rest sich nicht trenne.

Dann flieg ich verjüngt empor, auserkoren
für die Frühlingsgewitter mit Lebensmut,
wie aus dem Schoß einer Göttin geboren.

Franz Graf

Vom ewigen Leben

Vom ewigen Leben
spricht mir die Zeit
in Tagen und Nächten
in Ebbe und Flut
vom Werden
und Wachsen
vom Reifen
und Ruh'n.

Von Wiederkehr
spricht mir die Zeit
vom Licht und vom Dunkel
von Blumen
und Kindern
von Früchten
und Tod.

Von Trost und Vertrauen
spricht mir die Zeit
geborgen und sein
im ewigen Kreis.

Rita Herweg

Aus dem Schatten treten

erinnern und
Spuren folgen
fast vergessene Ohnmacht
noch einmal
erleben
und fühlen
wie es war
noch einmal
fühlen

erinnern und
Trost finden
willkommen sein
neu vertrauen und
aus dem Schatten
meiner selbst
treten

Rita Herweg

Fristen

Laß mir noch Zeit
denn ich muß lernen
die Stille zu hören
das Licht zu orten
hinter dem Schleiergrau

Laß mir noch Zeit
aus der Farben Fülle
die Schönste die Lichte
zu wahren bis zum Verdämmern
den klaren den innigsten
Tönen zu lauschen
bis zum Verklingen

Laß mir noch Zeit
die zarten die leisen
Zeichen der Liebe zu spüren
bis in den Schlaf.

Anne Heitmann

Sonnenloser Tag
graue Wolken, dichter Regen
engen mich ein
lassen mir keinen Raum

Dämmerung senkt sich herab
Konturen verschwimmen sanft
Ein Stern funkelt
In mir wird es hell

Eingebettet in das Licht des Tages
sind meine Fragen
Wo finde ich Antwort?
Im Flug der Meise?
Im Fallen einer Schneeflocke?
Im Schimmer eines Tautropfens?

Antwort erwächst aus der Stille in mir

Maria Ilona Poppendieck

A. PYGMAEUS

Gewölle der Dürre
verweht vom Wind des Abends
verweht vom Wind der Nacht
vom Tau des Morgens
blüht deine Schale
grünender Blätter
du Rose
auferstanden
nach der Glut
meiner Seele
erhebt
neues Leben sich
flüchtig.

Andreas Hippert

Verschlossenheit

Seltsam
Da ist eine Kammer
Tief innen
Unberührt
Verstaubt
Spinnwebendurchzogen
Dornröschen liegt in
Tiefem Schlaf
Hier
Tausend Jahre schon

*

Aufgebrochen

Beharrlich, aber
Behutsam
Sich herausschälen
Aus dem verkrusteten Kokon
Verkrümmtes
Kommt ans Licht
Aufsteigen
Aus der Asche
Noch im Flug
Löst sich die
Winterstarre

Sigrid Ritzmann-Striss

Schmerzfänger

Ich will ihn besänftigen, den
Bohrenden Schmerz
Ihn beruhigen, einschläfern
Mache verlockende Angebote,
Verhandle,
Tue alles, damit er Ruhe gibt
Umzingle ihn
von allen Seiten
Dränge ihn in die Ecke
Jage ihn sieben Mal um's Haus
bis ER – totmüde – sich ergibt
Sich nicht mehr weigert, mir zu
Folgen bis zu dem Käfig,
Hinter dem ich ihn einsperre
Für immer
Wenn es nach mir ginge

Sigrid Ritzmann-Striss

Für eine Weile

fließt das Leben dahin,
wie ein breiter Strom.
Auf diesem Wasser viele Barken
Arbeiten, Pläne, Lust, Freude,
Trauer auch.
Breit und behäbig
eingedämmt,
keinen Wunsch nach Änderung,
kein Über-die-Ufer-treten,
kein Wollen,
einen anderen Lauf zu suchen.

Und plötzlich die Zäsur.
Irgendein Erlebnis,
vorher nie gedacht erfordert Mut.
Mut, nachzudenken
über das Leben.
Nachdenken?
Keine Zeit mehr
Entscheidungen zu treffen,
zu überlegen.
Erstarren, Erbleichen,
in die Knie gezwungen,
die versagen,
denn –
die Entscheidung ist gefallen.

Doch dann
fließt das Leben dahin
wie ein breiter Strom,
der alles aufnimmt
und breiter und tiefer fließt

für eine Weile ...

Gaby G. Blattl

Toter Punkt

Wie tot bist du eigentlich,
toter Punkt?

Ende eines Weges
Sackgasse der Erstarrung
angefüllt von
Erschöpfung und
Ratlosigkeit.

Totenstille – schweigen – horchen

dort am Ende
steckt die Wende
die Notwende

CHANCE zum LEBEN
bist du toter Punkt

Bärbel-Wiebke Rasmussen-Bonne

Lösung

Tränen

wenn eine
        dem Glück
fällt
eine
        dem Leid

die das Gestern beweint
die das Morgen grüßt

Schwestern
        das Heute lieben.

Gisela Dreher-Richels

Gib
dein irdisch
        Nest
nicht
auf

Aber hängs
in den
        Regenbogen

Ruf
die
        Taube
ins
        Dornengeflecht

Darin
        Wunden
sich lichten
zu
        Rose

Gisela Dreher-Richels

Aus dem
Dunkel
hervor
musst du tasten

dich führen lassen
dahin du
nicht gingst

So lang du
den Schritt
noch
wägst
bist du nicht
frei

– Überlass dich –

Da ist immer
ein
Bote
will dich
leiten

An seiner
Hand

Gisela Dreher-Richels

O verlerne die Zeit
Daß nicht dein Antlitz verkümmre
Und mit dem Antlitz das Herz!
Leg ab deine Namen!
Verhänge die Spiegel!
Weihe dich einer Gefahr!

Wer einem Wink folgt im Sein,
Vieles zu Einem erbaut,
Stündlich prägt ihn der Stern.
Und nach glühenden Jahren,
Wenn wir irdisch erblinden,
Reift eine größre Natur.

Hans Carossa
** 1878 † 1956*

Neunzehn Uhr zwanzig

Am Ende des Bahnsteigs,
dort wo Knöterich
aus Betonritzen sprießt,
gehen wir auf und ab.
Deinen Zug
lassen wir davonfahren.

*

Wir sprechen uns

Am Telefon diese Nähe.
Lachen und Herzlichkeit.
Verplaudern die Zeit.
Beim Treffen im Café
zieht sich die Sprache
zu Rinnsalen zusammen.
Ungeübt die Blicke,
unsere Hände verlegen.
Auf dem Heimweg werfen
wir die Handies in den Fluss.

*

Am Grab

Immer wieder
zum Friedhof gegangen.
Auf dem Grabstein
neulich
orangegelbe Flechten
entdeckt. Ich finde Trost.

Carla Bayer-Cornelius

Eine Überdosis Leben

Graue Tage, schwarze Nächte
dreh'n sich wie ein Rad im Wind.
Meine Uhr frisst die Minuten –
und die Lebenszeit verrinnt ...

Denk' ich träumend noch an gestern,
klopft das Morgen an die Tür.
Was ist mir vom Jetzt geblieben?
Reichlich Pflicht – und wenig Kür ...

Das, was meinem Blick begegnet,
ist zu wahr, um schön zu sein:
überall nur Häuserschluchten,
Asphalt, Glas, Beton und Stein.

Durch die Nebelwand des Heute
dringt kein einz'ger Sonnenstrahl.
Alltag, aus Granit gemeißelt –
selbst die Blumen sind aus Stahl.

Jeder Baum zeigt kahle Äste,
jeder Vogel schweigt verstört,
gibt es außer mir doch keinen,
der ihm gerne zugehört ...

Mühsam schöpf' ich aus dem Leeren
als bedauernswerter Tor –
doch mir scheint: Die dunklen Tage
sind schon heller als zuvor!

Eine Überdosis Leben
habe ich beim Schicksal gut,
und das Morgen wird wie gestern –
denn die Asche birgt noch Glut!

Gerhard Schlesinger

Schlussworte

ich möchte eine säule sein
am rand des abgrunds unsres seins

ich möchte eine fackel sein
im todestunnel unsrer zeit

ich möchte eine taube sein
und frieden künden unsrer welt

ich möchte bekennen können:

ich habe die schönheit gesehen
ich liebe das leben

ich habe die wahrheit gefunden
ich glaube an gott

ich habe die endzeit gewogen
ich hoffe auf gnade

Heinrich Schröter

Befreit

Du wirst nicht weinen. Leise, leise
wirst du lächeln; und wie zur Reise
geb' ich dir Blick und Kuß zurück.
Unsre lieben vier Wände! Du hast sie bereitet,
ich habe sie dir zur Welt geweitet –
o Glück!

Dann wirst du heiß meine Hände fassen
und wirst mir deine Seele lassen,
läßt unsern Kindern mich zurück.
Du schenktest mir dein ganzes Leben,
ich will es ihnen wiedergeben –
o Glück!

Es wird sehr bald sein, wir wissen's Beide.
Wir haben einander befreit vom Leide;
so geb' ich dich der Welt zurück.
Dann wirst du mir nur noch im Traum erscheinen
und mich segnen und mit mir weinen –
o Glück!

Richard Dehmel
** 1863 † 1920*

Herbst

Das Herz
Hat ausgegrünt
Auflodernd
Scheidet sich's
Von Gleichgültigem
Sinkt
Zurück in die Brust
Verknospt sich
Und
Wartet
...

Astrid Neu

Der Himmel ist grau.
Und doch ist Sommer.

In der Asche, Geliebter
verbirgt sich die Glut.

Und kämst du, Steppensohn
nach weiter Reise, und trügest
sieben Gewänder und legtest sie ab
wie sieben Versprechen
die du verschweigst, und sängest
dein Abendgebet, das du mir nicht
versprachst ...

Wir aber fliehen den Blick, der uns
sucht: Er könnte uns finden.

*

Dort wo
das Schweigen wohnt
dort wo
die Bilder ruhen
dort wo
der Klang vergeht
dort wo
der Raum sich weitet
dort wo
die Stille atmet
dort wo
Du bist: dort
will ich bleiben.

Dort steht der leere Spiegelsaal
bereit, das Himmelreich
das uns versprochen ward.

Annette Wenner

Liebe
für Anna

Ich liebe dich.
Einfach so.
Einfach so
wie es die Schwalbe
in den Süden zieht
und den Salm
über Stromschnellen
wie der erste Schrei
eines Kindes
und der erste Liebesbrief –
an wen?

Spricht dein Auge:
Mit dir teilen ... ?

Systole und Diastole
schlagen für dich
taktvoll.

Aber Wasser,
das im Sande verrinnt,
kann man nicht aufheben.

Bochdan Cinglar

Vergeben

Ich werde dir die Schuld
Der letzten Jahre erlassen
Vergeben – deinetwegen
Werde ich Bäche überqueren
Und wenn meine
Füße sich scheuen
Steine modrig mich
Stürzen lassen

Tief

Fallen Schluchten
Über mich her
Wo das Echo
Der letzten Jahre
Widerhallt und
Ich durchschwimme Seen
Nur schwärzer die Nacht
Und bezwinge in Angst
So dunkel noch das Meer
Damit mein Ruf
Bei meiner Ankunft dann
Dich wirklich erreicht

Barbara U. Schumann

HERZENSWUNSCH

Gekommen und gegangen
Sind viele Monde hell
Doch manchem Lichtblitz
Trautest du nicht mehr
Ich weine du lächelst
Deinem stillen Halbgott zu
Sein schweres Wort
Das auf deiner Goldwaage liegt
Will er leicht mit leichter Hand
Und zum Wallfahrtsort
Pilgert dein Flimmerherz
Warum bäumt es sich auf?
Einer wird es wissen
Während himmelwärts der Blick
Dein Herzenswunsch so nah und ich
Halte fest am Glauben
Du steigst wie Phönix aus der Asche

Barbara U. Schumann

ich weine vor sehnsucht
wie ich uns wünsche!

nackt steh ich in winternacht
und ahn die umarmung

der wind ist dein atem
die sterne deine wärme

so weit

*

zu zweit einsam
fröstelnde küsse
leere umarmung
hohler blick

überbrückung der zeit
trauer des spiels
wieder ohne hall

du bist nicht mehr
meines traumes haus

Tamara Nölscher

Nüchterne Feststellung

Schwer,
schwer liegt mir Sonne im Auge,
schwerer noch du,
liegst mir am Herzen.

Herzkasper, Herzklabaster,
Herznot und Blendung.

Schwer,
schwer stichst du mir ins Auge,
schwerer noch immer schon,
du, hinterm Blindfleck.

Den Star sticht mir keiner,
entzündelt die Bindhaut der Worte.

Herzkasperline du,
Hanswurstel ich.
Schwären aus Verlangen,
versammelt vom Leben.

Herzgekasper, Herzklabaster,
Grünstar und Schweigen.

Johannes Viktor Feitzinger

Sehnsucht

So lange schon
nur in Gedanken bei dir.
Jetzt will ich in deinem Revier
ein Wilderer sein.

Jetzt will ich Beute machen,
um dir zu gefallen.
Wilderer sein in Gedanken
und du erzählst Märchen.

So lange schon
beutelos wie im Märchen
bei dir.
Jetzt wildere ich in Gedanken.

Johannes Viktor Feitzinger

Kehr ein bei mir

Du bist die Ruh,
Der Friede mild,
Die Sehnsucht du,
Und was sie stillt.

Ich weihe dir
Voll Lust und Schmerz
Zur Wohnung hier
Mein Aug und Herz.

Kehr ein bei mir,
Und schließe du
Still hinter dir
Die Pforten zu.

Treib andern Schmerz
Aus dieser Brust!
Voll sei dies Herz
Von deiner Lust.

Dies Augenzelt,
Von deinem Glanz
Allein erhellt,
O füll es ganz!

Friedrich Rückert
** 1788 † 1866*

Silvester
(2004)

Wind treibt Abschied
mir ins Herz
Blätter im Spätjahr
säumen die Alleen
und tanzen auf
enterbten Koppeln
Totentänze.
Er höhnt durchs Fenster in
den nächt'gen Raum
und presst mit Wollust mir
die Brust „vorbei"
die Nächte und die Tage
der Amseln Abendlied
vorbei der Kuss und
Hauch der Lippen.
Doch bleibt die Spur
die Gestern in
das Morgen trägt
und kurz verweilt
im reinen Augenblick.

Horst Saul

Callicarpa oder der unvergängliche Sommer

Neben den fliehenden Blumen,
abseits der Wege
des welkenden Jahres,
schenkt mir mein
herbstlicher Garten
Küsse des Lebens:
Noch einmal die Knospen
verwirrender Rosen an
fast schon leerem Gezweig,
und wie ein Flammenmal
lacht in die Sonne
die Quitte, als hätte sie
alles Licht eines Sommers
zusammengerafft.
An zarten Zweigen reihen sich
Perlen wie Schmuck
aus den Gräbern der Vorzeit
zur Callicarpa, der Schönfrucht;
sie bemalt mit ihrem Lila
die Einsamkeit und verkündet
den unvergänglichen Sommer
im Rücken des Todes.

Horst Saul

Es ist etwas

Es ist etwas, was
mich krank macht,
in der Brust wühlt,
den Magen umdreht,
Feuerimpulse des
Zwischenhirns, das
aus den Fugen geriet,
bedrohliche Aktivität
der Neurotransmitter.
Wie kann ein anderer
Mensch das bewirken?
Erinnerungsbilder?
Immer wieder umgreife ich
dich mit dem inneren Auge
Tag und Nacht:
deinen Blick,
deine Landschaft,
gehe mir dir den Weg
deines Mundes,
die Straße der Hände,
taste dein Weiches und
Festes und verbrenne in der
Glut deines Vulkans:
Unerklärbar ist mir die Sehnsucht,
unbegreiflich die Liebe.

Horst Saul

Zeit * Not * Zeit

Nun also öfter S.O.S.
die Verben gehen langsam aus
die derben Sprüche sowieso
der Code blieb ungeknackt
das Baumhaus ist zerhackt
die Weihnachtsgans gerupft
am Eis. – Der alte Kahn
aus neunzehnhundertacht
fast abgewrackt
fährt in den Hafen ein
darin er untergeht.

Nichts mehr von Sinn. Kein Takt.
Auflösung. Ein Prozess.
Leid kommt zur Tür herein.
Das Nichts umarmt das Sein.

Einmal noch MarGueriten abgezupft:
Er liebt mich – oder nicht?
Doch, ja – schon wieder nein?
Ach zähle, Liebster,
zähle lieber nicht!
Erzähle dein Gedicht, dein Lied
in Zeitnot sag es, schnell
von Not und Zeit und Tod
der droht – – – bei Gott
wie abgeschmackt!

Eva Kittelmann

Nur Du

Mit bloßem Mitleid
komme ich nicht aus
in diesem Sommer

Mitleidig ist der Wind
der mir den Nacken kämmt
und kühlt

mitleidig das Gewitter
das mir Glyzinien
ins Fenster spült

von Mitleid voll
die grünen Pampelmusen –
mein Durst wuchs ungeheuerlich!

Von dir will ich ein Meer
zu trinken, den Winterhonig
die Walpurgisnächte

und möchte selbst
du streutest Sand
in meine Augen

und decktest
diesen ausgesperrten Busen
mit dunklem Wortschwall zu –

N u r d u
ertränktest meine Brände
denn immerhin:

Es wären deine Hände
die mir das Letzte tun –
die Lösung dieses blanken Ich.

Eva Kittelmann

Lieber Ray!

Lieber Ray!
Als Du mir vor zwei Monaten schriebst,
daß Du jetzt eine andere Freundin hättest
und sie in einem Jahr zu heiraten beabsichtigtest,
hatte ich es schon geahnt
ich bin jetzt krank geworden
Lieber Ray
auf meinen stammelnden, zittrigen Brief antwortetest Du nicht
ich schlage die Zeit tot,
nachdem ich zwei Tage bitterlich um Dich weinte
Lieber Ray,
mein Seelenbruder
Wie sieht sie aus, Deine neue Geliebte?
wahrscheinlich ist sie jünger und dümmer als ich
ich war wahrhaft standhaft und treu durch all die Zeit
Lieber Ray
meine Wunden sind nicht verheilt
die Umwelt verlangt Geistesgegenwart von mir
meine Gesänge waren Dir, Du Leidenschaftsloser, gewidmet
und ich war so froh,
Dich als passenden Partner zu besitzen
aber „besitzen" kann man eben niemanden
beinahe wäre ich verstummt
doch ich weiß: ich liebe Dich nach wie vor,
mein Bruder Ray.

Carla Kraus

Alles fliesst

Es fließt das Licht und hüllet
die Erde ein mit warmem Gold,
Berg, Tal und Weg es füllet,
bis in den tiefsten Spalt es rollt.

Es fließt der Herbst und stillet
mit seinem Licht so sanft den Schmerz,
und alles Fließen füllet
so manches durstgeplagte Herz.

Es fließt und fließt die Liebe,
entspringt aus reinem hellen Licht.
Wenn sie doch immer bliebe.
Doch manchmal bleibt sie eben nicht.

Ich lass mein Leben fließen,
dem Flüsschen gleich find'ts seine Bahn
im Leiden und Genießen.
Wo's mündet? – Irgendwo kommt's an.

Gabriele Lins

Atmen heisst Leben

Nicht mehr stille sein
im erstarrten Alten
die Winde bewegen
durch meinen Atem
gehen über den Brückenschlag
meiner Gedanken.

Atmen, tief atmen
ankommen
staunen
erschauern im Glück
mein Atem stockt
ein Blick zurück
das Alte
würdig verabschieden.

Fühl mich geborgen im Neuen
hat mir erwartet
empfängt mich voller Freude
hüllt mich ein
im glaubwürdigen Versprechen
atmen bewegt die Lüfte
mitreißende Stürme
dem Ziel entgegen.

Im neuen Handeln
Ideen schöpfen
dem Leben den Atem geben
die Zukunft errichten
jetzt beginnen
und sich tragen lassen
auf den Wellen der Gelassenheit
und atmen, atmen.

Irmgard Simenc-Kretzschmar

Der Schrei

Zu viel versprochen,
zu viel gelogen,
ewige Liebe
gelebt in der Ferne.

Letzte Rosen
aus deiner Hand,
Blüten geknickt
in die Dornen
welken dahin.

Meinen Schrei,
den hörst du nicht
zu weit deine Sinne,
als Echo kommt zurück
aus den Bergen der Hemmnis.

Meine Kehle wundgescheuert
zu viel geklagt
zu laut beklagt –
vergebens.

In den Tälern der Finsternis
Echo abgesunken
wie lotiges Blei –
von mir ein
letzter stummer Schrei.

Irmgard Simenc-Kretzschmar

Momentaufnahme

Man hat gelebt:
Bilanz unterm Strich
gelungen – verloren
genossen – verbaut
schuldig geworden –
den Falschen vertraut.

Doch bleibt für mich
die Sehnsucht bestehen:
Kann neu geboren
weiter gehen:
den Weg der Liebe.

*

Schildkrötenpanzer –
ein leichtes Gewicht!

Was drinnen schlummert,
Mimose! Zerbricht

unter flattriger Haut
das schwache Herz

Doch mit Kraft vertreibt
die Liebe den Schmerz:

l'amour plus fort que la mort!

Gabriele Lederle

Neustart
offline oder online

Schwer gefunden
der Schlüssel liegt hinter der Tür
dort warten ein Wider und Dafür
in Freundschaft verbunden

Ein offener Hauch
viel Rundes und Eckiges gesehen
erst im Gefundenen zu verstehen
wie ein alter Brauch

In wohliger Andersartigkeit – ein neuer Lebenshebel
dem Freunde offenbart
mit Wahrheit nie gespart

Ein neuer Weg – hinter dem Nebel
eine leise Melodie
beginne es mit Poesie

Gunhild Krause

Terzinen über Vergänglichkeit

I

Noch spür ich ihren Atem auf den Wangen:
Wie kann das sein, daß diese nahen Tage
Fort sind, für immer fort, und ganz vergangen?

Dies ist ein Ding, das keiner voll aussinnt,
Und viel zu grauenvoll, als daß man klage:
Daß alles gleitet und vorüberrinnt

Und daß mein eignes Ich, durch nichts gehemmt,
Herüberglitt aus einem kleinen Kind
Mir wie ein Hund unheimlich stumm und fremd.

Dann: daß ich auch vor hundert Jahren war
Und meine Ahnen, die im Totenhemd,
Mit mir verwandt sind wie mein eignes Haar,

So eins mit mir als wie mein eignes Haar.

Hugo von Hofmannsthal
** 1874 † 1929*

In ein altes Stammbuch

Immer wieder kehrst du Melancholie,
O Sanftmut der einsamen Seele.
Zu Ende glüht ein goldener Tag.

Demutsvol beugt sich dem Schmerz der Geduldige
Tönend von Wohllaut und weichem Wahnsinn.
Siehe! es dämmert schon.

Wieder kehrt die Nacht und klagt ein Sterbliches
Und es leidet ein anderes mit.

Schaudernd unter herbstlichen Sternen
Neigt sich jährlich tiefer das Haupt.

Georg Trakl
** 1887 † 1914*

Warum immer

Immer frage ich mich
warum fragen alle
warum

tödlicher Unfall
sinnlose Krankheit
Leid der Unschuldigen

warum denken alle
warum fragen mache
Sinn

keiner wozu
ist warum unser Schicksal
und wenn

warum

*

Bereit

Hilflos werfen die Bäume
ihre Arme in die Luft
ergeben dem Herbststurm
der sie befreit
von der Last des Sommers
so lässt sich's sterben

Reinhold Ahr

Umdrehen

das Trauergedicht
am Ende beginnen
nach vorne hin lesen

oder im Finstern
ein neues schreiben
mit leuchtendem Stift

Johanna Anderka

Versuch

Zwischen dir Gott
und mir

dieses schwarze Tal
diese Schlucht

Von ihrem Rand
dem Ufer der Angst

mein Hilfeschrei
vielleicht ein Seil

eine Brücke
aus wortlosen Rufen

Aber wo
bist du hier oder

weit über allem
und immer bei mir

Johanna Anderka

Abläufe

Diese Spanne ruhiger Tage
zwischen Sommer und Herbst
Aufbruch und Gehen

dieser dem Wandel scheinbar
entzogene Raum

Aber auch Dasein ist nur
ein grenzendes Wort
etwas wie Trost

wo es doch keines
Zuspruchs bedarf

das Welken der Blätter
zum Leben gehört wie der Tod
und die Liebe vielleicht

die sich birgt im Immer
und Wieder und im Vorbei

Johanna Anderka

Ich habe dir hinter die Augen geschaut
(in memoriam Christine Lavant)

Ich habe dir hinter die Augen geschaut
dort, wo die gläsernen Räder gehen,
und die Gedanken stille stehn
beim Anblick des milchigen Monds.

Du weißt wohl, warum kein Himmel mehr blaut,
seit die Unruh dem Räderwerk schwand,
weil Trübsinn ihre Bewegung bannt
im magischen Kreislauf der Zeit.

Jetzt spricht dein Mund, dem ich immer vertraut,
mein Geheimnis auf offener Straße aus,
ich will mich verstecken, finde kein Haus –
und der Mond hat die Wolke erreicht.

Conrad Miesen

Lethe
(für meinen Vater)

Zurückgekehrt
aus dem Reich der Schatten,
kennst du uns und dich selbst
nicht wieder.

Lethe hast du getrunken
aus der verwunschenen Quelle
und gabst dich preis
dem Vergessen.

Wir sehn dich vor uns,
hören deine Stimme
heiser und nah,
doch du rufst nach Bruder und Schwester,
die lang schon gingen –
empfängst die lautlose Botschaft.

Vom Alltag
unsrer Angst und Hoffnung
reichen wir dir Scherben dar
und spüren, noch auf Antwort wartend, plötzlich:
die Bewohner des Taubenschlags in deinem Kopf
gehorchen ihren Namen nicht mehr.

Conrad Miesen

MELANCHOLIE

Mein Herz tanzt nackt und frierend
im Oktoberwind,
und Schweigen steht Spalier
auf meinen Wegen,
die mühsam sind, weil mir zu viele
Felsblöcke der Erinnerung
den Blick aufs ferne
Ziel verwehren

Ich mache mir die Dämmerung
zum guten Freund
und spüre dabei Heimweh
nach der Fremde:
den Wunsch, nie mehr ein Hort zu sein
und endlich manches kluge Wort
von andren Lippen
abzupflücken

Die Zeit treib ich mit Ungeduld
zur Eile an,
voll Hoffnung, daß es mir
schon bald gelingt,
die Seele aus der Einzelhaft
zu lösen, um in Dankbarkeit
der Sehnsucht Ende
zu erkennen

Gerhard Schlesinger

Verborgenheit

Laß, o Welt, o laß mich sein!
Locket nicht mit Liebesgaben,
Laßt dies Herz alleine haben
Seine Wonne, seine Pein!

Was ich traure, weiß ich nicht,
Es ist unbekanntes Wehe;
Immerdar durch Tränen sehe
Ich der Sonne liebes Licht.

Oft bin ich mir kaum bewußt,
Und die helle Freude zücket
Durch die Schwere, so mich drücket
Wonniglich in meiner Brust.

Laß, o Welt, o laß mich sein!
Locket nicht mit Liebesgaben,
Laßt dies Herz alleine haben
Seine Wonne, seine Pein!

Eduard Mörike
** 1804 † 1875*

St. Marxer Friedhof

wehmütig
stimmt mich
der traurige Engel
aus Stein
zwischen dem
blühenden Flieder

ich fange
die Trauer ein
auf den dunklen Saiten
meiner Lieder

*

Windstille

die Nächte
sind kalt geworden

ein entfremdeter Himmel
setzt Zeichen

der Winter
wächst in mir

in der Windstille
meines Herzens
löst sich
ein vergessenes Wort

Ingeborg Rinner

Gelöschte Schrift

gelöscht
von der Zeit
die Schrift
die das Leben schrieb

nichts
was vom schweren Leben
blieb

alles Leid
ist Stein geworden

auf den Schultern
des gebeugten Engels
liegt der Schnee
barmherzigen Vergessens

Ingeborg Rinner

Ich falle aus dem Licht
in eine schwarze Sonne
und falle und falle.

Mein Herzschlag versteint,
der Tag hält Lügen bereit
für mich, für dich.

Mein Weinen wiegt
schwer
von graugesponnener Trauer.

Mir bleibt nichts
als meine Tage zu zählen,

und doch
hab ich die Erinnerung
an deine Rosen
mir in die Stunden gelegt.

Susanne Moser

NichtsSagen

Ein Ort
Zum Sein
Ich bin Ich
Da
Wo die Parallelen
Aufeinandertreffen

Eine Frage
Von Raum und Zeit
Will beantwortet
Sein

Über dem Grabhügel
Trifft Wind auf den Fels
Jahrtausende
Gingen vorüber
Steinzeichen
Wo

*

InnenSturz

Manchmal
Dringen TagesStacheln in das Ich
Nageln es fest
Auf dem hölzernen Nachtlager

Verschleiert
Schmerzen die Töne der Helligkeit
Auf unbedeutsame Weise
Löst Haut sich ab

Beim Fallen in die Tiefe

Anna Carmen Calina

Schilflieder

Drüben geht die Sonne scheiden,
Und der müde Tag entschlief.
Niederhangen hier die Weiden
In den Teich, so still, so tief.

Und ich muß mein Liebstes meiden:
Quill, o Träne, quill hervor!
Traurig säuseln hier die Weiden,
Und im Winde bebt das Rohr.

In mein stilles, tiefes Leiden
Strahlst du, Ferne! hell und mild,
Wie durch Binsen hier und Weiden
Strahlt des Abendsternes Bild.

Nikolaus Lenau
** 1802 † 1850*

Vorbereitung

jetzt sind die schatten sanft
im septembersonnenlicht
sind flüchtig leicht und biegsam
verdunkeln keine sicht

so schmückt des tages glanz
die vergängliche gestalt
birgt weder schmerz noch trauer
um abgelegten halt

und naht sich herbstes plan
auf der ernteleeren flur
berühren welt und stille
die ganze seelenspur

Elisabeth Schaffert

Vogelschwärme

nachts
fallen Vogelschwärme
über dich her
Krähen der Erinnerung
Wildvögel vergeblicher Hoffnung
die totgeschwiegen Nachtigall
deren Lieder im Nebel erstickten
vereiste Lerchenkörper
den Duft der Sommerfelder bergend

ein Fremdling aber
zärtliche Vogelstimme
singt dir den Glücklichen Schlaf

Katja Stehli-Christaller

Spinnen die Parzen
unerhört erhört

Rot geht die Sonne schlafen,
in ernsten Schlußoktaven
klingt aus des Tages Freude
und lose Lichter haschen spät
nach sich auf Dämmerkanten.
Schon sät Nacht Diamanten
in diese blassen Formen,
schenkt sich die Sonne
ins junge Grün
mit großen Lettern.

Trägt Frucht jene Wurzel
im kleinen Tod
Über dem Scheitel.
Länger ist's Blut
als röteste Rosen
und kaum zu glauben.
Im Licht zerrinnt nichts,
dunkelt es tief bei Engeln,
in ernsthafter Drohung
kehrt wieder Gesang.

Claudia Beate Schill

Feuer und Flamme
unnahbar nahbar

Vorsorgend nun, doch ruhig
stellen wir Matten und Krüge bereit,
binden die Trauben hoch:
Das Weitere ist unbekannt,
war und ist in diesem
trüben Himmel verschlossen,
wo ein weinrotes Licht gerinnt
und der Finkenschlag
bereits eisig anmutet.

Hier in jenen ruhigen, klaren Sätzen
verrinnt und verbrennt,
was ich nicht besitze
und dennoch verlieren muß:
Im Gleichgewicht vergangene und kommende Zeit.
Wie dem auch sei, ich kam hierher,
Nachlaß unerkennbarer Zeiten, glühe, warte.
Ohne ein Ende werde ich, die ich bin,
finde Ruhe in diesem leeren Licht.

Claudia Beate Schill

NACHTLIED

Quellende, schwellende Nacht,
Voll von Lichtern und Sternen:
In den ewigen Fernen,
Sage, was ist da erwacht!

Herz in der Brust wird beengt,
Steigendes, neigendes Leben,
Riesenhaft fühle ichs weben,
Welches das meine verdrängt.

Schlaf, da nahst du dich leis,
Wie dem Kinde die Amme,
Und um die dürftige Flamme
Ziehst du den schützenden Kreis.

Friedrich Hebbel
** 1813 † 1863*

ALTWEIBERSOMMER
Im Rheingau (Oktober 2007)

Ach,
die Tage werden kurz und müd:
Noch gestern sah ich Kraniche
auf ihrem Flug gen Süd.

Und vor dem rot getränkten Laub
der einsamen Wälder
ist nun der Flötenton des Pan
verstummt und taub.

Selbst in der Dämmerung des Rebstocks
scheint der verwobene Plan
der Oktoberspinne
leer und vertan ...

Doch,
lass uns den alten Zauber wieder auferwecken:
die knisternden Kartoffelfeuer auf dem Feld,
gesprächige Wölkchen am Himmelszelt,
der Wein hinter den nahen Hecken,
duftendes Brot vom Dorf,
etwas Fisch vom Weiher,
die Stille am Friedhof,
andächtige Feier:
die Liebe.

Michael Harscheidt

Venedig

Melancholie prägt dein Gesicht,
umwebt dein Bild, du Zauberstadt.
Man glaubt nicht wirklich, dass du gehst,
fühlt nicht, dass du auf Stelzen stehst –
und bald vielleicht dein Ende naht.

In deinen Winkeln lauert Tod,
durch deine Gassen ziehen Schatten,
die Zeit frisst sich in deine Haut,
entblättert dich zur Herbstesbraut –
du leidest still erhaben.

Doch dem Bewund'rer bist du hold,
entfaltest deine Reize,
zeigst dich im Glanz vergang'ner Lust
mit tiefstem Stolz in deiner Brust –
lachst hinter deiner Maske.

Gudrun Martin

Tristesse

Manchmal schleicht sich Traurigkeit
zutiefst in dein Gemüt,
und kühle Schatten hüllen sich
wie eine fremde Haut um dich –
vergreifen sich.

Die Schwester ist's vom Winterblues,
verlässlich wie die Nacht,
schickt ihre Tränen dir zum Gruß,
von der Sehnsucht einen Kuss –
nicht sacht.

Sie kommt und geht, die dich erfasst,
dich lähmt und Trübsal bringt,
ein Weh' in deine Seele spült,
dein Lieben und dein Lachen stiehlt –
bezwingt.

Lass' es gescheh'n, vorübergeh'n,
beklage nicht den Stress,
denn eine kurze Strecke nur
teilt sie bisweilen deine Spur –
Tristesse.

Gudrun Martin

Ewig

Am gläsernen Band geboren
Immer in Gefahr zu brechen
Mit Stärke und Schwäche getragen
Begleitet von Liebe und Leid
Gestolpert über Stock und Stein
Gefallen in dunkle Löcher
Gewachsen an Erreichtem
Sich und anderen bewiesen
Ich kann was ich will
Das Schicksal zum Duell gefordert
Entschieden hat ein Anderer

Das Band ist noch da

Andrea Müller-Nadjm

Winterende

Leer und verlassen,
öde,
weil der Winter nicht endet.
Wann hat er begonnen?

Schneeblüten
und erfrorene Tränen
über Verlorenes,
das man ersehnt.
Wann hat man sie geweint?

Unter der Einsamkeit
sehnt sich der Frühling nach Licht,
und ein leises Leuchten
erhellt die Welt.

Ila Ramdane

Vergessene Meister

Die Namen im Stein verwittert,
verblaßte Erinnerungen,
geblieben für die Ewigkeit
ihre Musik,
und ihre Harmonie umarmt
uns noch nach Jahrhunderten.
Namenlos geworden bleibt
die Musik tönendes Dasein,
das unsere Herzen bewegt:
Zum Himmel emporsteigender
Jubel und Ehrerbietung
eines Großen,
einstmal berühmten –
nun vergessenen Meisters.

Ila Ramdane

Krähen fliegen

Krähen fliegen,
und im Haus
der Nebelschleier
und im Wasser,
zwischen Wald
und Sommergrenze,
liegt der Herbst bereit,
und er legt uns
Pfirsichreife
und mit kalten Fingern
Feuerblätter
auf das Dach,
und die Äpfel,
die wir kauen,
waren gestern noch
bunt im Tau
des Asts zuhause.

Krähen fliegen,
und im Glanz
der blauen Reben,
zwischen Trauben,
Draht und Netz,
und im Nebel
über Dächern
breitet sich
der Herbstwind aus,
und er legt uns
Drachenbänder
und mit bleichen Fingern
Rauhreifkälte
um die Stirn,
und die Kerne,
die wir kauen,
waren gestern noch
tief im Fleisch
der Frucht zuhause.

Krähen fliegen,
und im Frost
der starren Zweige
füllt der Schnee
die Lücken aus,
und er legt uns
Dämmerstille
und mit weißen Fingern
Totenträume
vor die Tür,
und die Lippen,
die wir kauen,
waren gestern noch
ganz im Glanz
des Glücks zuhause.

Siegfried Swiderski

Soldatenfriedhof

Dem unbekannnten Soldaten

Du musstest dich
Dieser Landschaft zueignen
Sie heißt jetzt mehr
Als sattes Weideland

Frieden
Des Opfers anderes Gesicht

Grüne Verwebung
Von Gras und Baum

Wie viele Dächer
Mulden des Schweigens

Wie viel Licht
Über deinem Untergang

Kein Schrei
Hilft der Gewissheit:

Dein Name überall
Und doch
Nicht da

Julia Schiff

Flügelschlag

Ich habe so viele
Abstriche gemacht
Kostbarkeiten aufgehoben
Für die Zeit
Hinter der Zeit

Ach die vielen
Bindungen
Verkrüppelungen

Die einsame Birke
Gehorcht dem Wachstum
Losgelöst
Lernt sich
Der Flügelschlag

Julia Schiff

BEIL

als ich erwachte
erwachte ich in atemlosem dunkel
ich hörte die erde sich auftun
auf meinem herzen erdklumpen
meine füsse gegossen in ton

was war geschehen
geschehen dein abwenden
aus reicher zeit in mir
unsere märchenwelt geflüchtet
unter hetziges alltagszelt

das ist die erde
sie birgt und verbirgt leben
so ist die liebe
die lacht bevor sie sich wendet
um

*

UMWELT

durch dicke abgaswolken
wirft die sonne
betonierte landschaften
der wind schlägt
mit weichen fäusten
gegen unsere atmung
versonnen streicheln wir
quietschende computer
und verfallen hilflos
ausgetrockneten flussläufen

Elisabeth ba Schmid

Herbstsinfonie

Von des Herbstes Bäumen
Zeichen der Vergänglichkeit.
In den schönsten Träumen
wunderbare Sinnlichkeit.

Welke Blätter fallen
durch graue Nebelwände.
Sanfte Töne hallen:
„Reiche mir die Hände".

Es klingt aus weiter Ferne
die Abendmelodie.
Begleitet von dem Sterne
die letzte Sinfonie.

*

Lauschige Stille

Schönheit meiner Träume,
hör die sanfte Melodie.
Ruhiger Ton der Bäume,
du bist meine Prophetie.

Frieden und Geborgenheit
spür ich tief in mir.
Des Schöpfers Herrlichkeit
find ich stets bei dir.

Lausche in die Stille,
öffne auch du dein Herz,
es ist Gottes Wille –
vergiss nun allen Schmerz.

Marc Lüger

Spuren im Staub

Müde fallen Blätter von den Bäumen,
ich gehe langsam durch das bunte Laub,
der Nebel hält den Blick in engen Räumen
und meine Schritte ziehen Spuren in den Staub.

Es gibt so viele Fragen, die mich quälen,
die weißen Mäntel eilen stumm an mir vorbei,
kein einziger beginnt mir zu erzählen,
dass alles was geschieht ein Alptraum sei.

Wohin werden die Strahlen uns wohl leiten,
gebieten Einhalt sie dem unheimlichen Spuk,
werden sie Zweisamkeit uns gönnen und bereiten
oder ist Hoffnungsdenken nur ein Selbstbetrug?

Die Zuversicht bleibt aber ungebrochen,
dass alles sich zum Guten wenden mag,
sind dann die ersten Worte wieder ausgesprochen,
steigt aus der Asche auf ein guter neuer Tag.

Gertrude Junta Track

Die stille Stadt

Liegt eine Stadt im Tale,
Ein blasser Tag vergeht;
Es wird nicht lange dauern mehr,
Bis weder Mond noch Sterne,
Nur Nacht am Himmel steht.

Von allen Bergen drücken
Nebel auf die Stadt;
Es dringt kein Dach, nicht Hof noch Haus,
Kein Laut aus ihrem Rauch heraus,
Kaum Türme noch und Brücken.

Doch als den Wandrer graute,
Da ging ein Lichtlein auf im Grund;
Und durch den Rauch und Nebel
Begann ein leiser Lobgesang,
Aus Kindermund.

Richard Dehmel
** 1863 † 1920*

Sommerbild

Kinderlachen hinterm Haus,
auf der Leine tanzt ein Hemd,
körperlos und bleich.
Schatten gleiten durch den Klee
und der letzte Goldfisch kocht
stumm im Goldfischteich.

Romeo liebt Julia,
Möwen stürzen himmelwärts
als ihr Auge bricht.
Grau vom Staub der weiße Leib,
atemlos im Möwenschrei,
augenlos im Licht.

Spät erwacht in fremder Zeit
wirft er lächelnd einen Stein
in den Wolkensee.
Auf der Leine tanzt ein Hemd
und das Blut der Möwe fällt
rot auf grünen Klee.

Franziska Pfaff

Worte

Wenn meine Worte
Wasser wären
könntest Du sie trinken
wie die Stille
die wortgewandt
zusammen mit Dir flüchtet
an Orte ohne Namen
in Träume ohne
Worte die
nicht fließen
wie Deine Tränen.

Andreas Hippert

SCHNEE

schnee
unter meinen füßen

rein
ein hauch der seele

schritte gefrieren

tannenzweige geschmückt
wie eine braut zur hochzeit
neigen sich zur erde

einsamkeit im herzen

Brigitte Lück

AMO, ERGO SUM

Bachkantaten? Mozartsonaten?
Wunderschön! Aber später, viel später! Nicht jetzt!
Jetzt schwelgen wir im Schlaraffenland der Liebe:
Jeder Tag ein bunter Schmetterling,
der aus der Raupe kriecht.
Jede Nacht eine Sprosse der Leiter,
die zum Himmel führt.
Und ist doch alles noch kindlich verspielt,
voll behütender Zärtlichkeit und Geborgenheit.

Die Zeit hat die Tenne leergefegt.
Uns bleibt der Trost des Vergessens,
und es bleiben
Bachkantaten und Mozartsonaten.

*

OHNE TRAUER

Eingesponnen in der Stille meines Herzens
trenne ich den Weizen von der Spreu,
wasche Gold aus dem Fluß meiner Seele,
ruhe mich aus im eigenen Schatten
zwischen Himmel und Erde
bis zur sicheren Landung
an der Hand des Todes.

Erika Macdonald

Melancholia

Sie kommt,
wenn ich viel-
beschäftigt bin;
fast immer un-
gelegen,
nistet sie sich
meiner Seele
ein.

Wenn ich
ihre braune Wärme
gern ein wenig
noch behalten
möchte,
geht sie
fast immer
fort.

Michael Finzer

Alte Bäume

Alte Bäume soll man nicht verpflanzen
das weißt auch Du
so würden wir denn dauernd Urlaub haben
uns nie gewöhnen dort und hier
wir würden immer wieder fragen
weißt Du noch
und endlich so Gott will
würd' keiner Trauer tragen

Gerda Selberg

Tränen

Wenn dir die Tränen kommen
und sie fließen dir über dein Gesicht
und alle sehen es

und keiner sieht dich an
und niemand berührt auch nur deine Hand
und nicht einer spricht dich an

dann brennen deine Tränen
sich wie Feuer in deine Haut

*

Die Trauerwelle

Wenn die Trauerwelle kommt
und sich an meiner Seele bricht
dann lade ich sie ein zu mir

und wenn jede Zelle dann in mir
ganz gesättigt ist von ihr
dann fließt sie wieder heraus aus mir

und ich fange sie auf
in einer großen Schale
in die ich Seerosen setze

Karin Weber

Endlos

Verhangen die Nacht
der Morgen so weit
über den Sternen
dein Traum so ahnungsvoll
so weit entfernt

Wir halten dein Leben
verlieren die Macht
die Wünsche fallen
zur Erde verglühen
Sternschnuppen unserer Jahre

Still wird es
still und endlos

Dietrun Gebert-Feth

Die Trauer der Nacht

Die Trauer der Nacht
wechselt von Mond zu Mond
vergeht und kommt
verliert gewinnt
in ihren Farben spielt sie
malt die Tage
in die Unendlichkeit
lebt stirbt
wächst bis zum Schmerz
klärt sichtet und gräbt
zieht Decken
von der Schwärze der Nacht
entblößt schöpft Leben
dem Tode nah

Dietrun Gebert-Feth

Der Winter nach dem Krieg

In einem Dorfe ob der Enns erzählte man
Erstaunliches:
Die Donau ist tief zugefroren.
Die Trauer über die verwaisten Ufer,
An denen immer Kinder spielten,
Menschen fröhlich waren,
Jetzt gesäumt von Trümmern und Ruinen,
Liess ihr Seele und ihr Herz erstarren.
Mit einem Leichentuch bedeckt,
Fliesst sie nunmehr der Quelle zu –
Zurück zur Mutter.

Ingeborg M. Brauer

Erinnerung

Glänzend weht durch mein Erinnern
Alter Tage stilles Bild,
Sehe Blumen prächtig schimmern
Und uns wandeln im Gefild.

Röter uns die Rosen brannten,
Grüner spross das frische Gras
Als sich unsre Herzen fanden.
Lebenslang ich nichts vergaß.

Verdorrt sind die Rosen lange,
Schon lang auch das Gras gemäht,
Doch oft im geheimen Drange
Mein Erinnern dahin geht.

Ich nehme die alten Briefe
Und schaue Fotos mir an,
Mir ist als ob jemand riefe
Und klopft' an der Türe leis an.

Sigrid Fuchs-Mattmüller

Ob

die Zuversicht zählt?
Bilder schwimmen sich frei
in unseren Horizonten
Wegweiser stehen
nicht lange aufrecht
geraten aus dem Bild
das wir uns machen

Baumkronen rauschen auf
wir lassen uns ein
Windspuren überall
helle und dunkle
Schatten im Gras
Blätter flimmern
taumeln rascheln

alte Geschichten vom
Fortgehen und Ankommen
durchlaufen Alleen
queren Felder Schnee
unter dem Wind
Eisblumen
zärtlich fortgehaucht

Cordula Scheel

Loslassen

Wir verlieren viel
manche Dinge
sagst du haben
ein Eigenleben
manche sterben
manche müssen wir
einfach loslassen

freiwillig
um unsretwillen
sie rufen sonst
unsere Augen zurück
unterwegs

Nach den Verlusten
deine Worte
schleichen sich ein
in Augen und Ohren
kaum sehe ich
mich selbst

was taugt kommt
im Dunkel ans Licht
Loslassen kann
sagst du sich selbst
überstehen

Cordula Scheel

Das sind die Tage

Das sind Tage
voll von Erinnerung
du denkst an Glockenläuten
an Schleier und Blumen
an leuchtendes Hoffen
auf endlose Zeit
du denkst zurück
an erste Laute
eines Kindes
dessen letzten Schrei
du nicht gehört
du denkst an Fiebernächte
an das Erwachen
nach dem scharfen Schnitt
und lebst
mit Ring
und Grab
und Narben

Brigitte M. Hagmeier

ABSEITS

abseits
vom lauten gestade

mit den schatten der unruhe
und den leuchtziffern der einsamkeit

wo verwundete riffherzen
auf den erlösenden samariter
warten

abseits davon

wo die stille beredt ist

hält mein monolog
echolose zwiesprache
mit den trugbildern der nacht

unerkannt
geht der barmherzige samariter
ans nebelufer des riffs.

Hans-Jürgen Thiemer

Dies irae

Aufbruch, nackt
zur niederfliehenden Sonne
ins Spurlose.
Heimat hängt
in zerbrochenen Ästen.

Matt gleitet
über das modrige Wasser
der müde Geist.
Hätte ich
Flügel für meine Füße!

Einmal noch
rauscht das Gras unter schwerem Flug.
Nur noch Flamme
im Rücken,
Sturz über den Horizont.

Gerhard P. Michael

Melancholie

Das süße Spiel
der herbstlich besonnten Tage
hat begonnen;
die Wälder glühen im Blut
des warmen Lebens,
wollen die Abendröte
fesseln.

Schnell fliehen die Störche,
sie atmen schmelzenden Sand
im Dämmerflug.

Kaninchen
hocken in dunklen Furchen,
knabbern an langen
Augenblicken.

Gerhard P. Michael

Schatten der Nacht

Weil Deutung sich verbirgt,
trauerst du mit lachendem Mund,
und dein Auge
schwankt zum Horizont.

Tränen weben ein Netz
vor die schale Vergangenheit;
du änderst nichts
am Geschehenen.

Den Baum vor deiner Tür
berührst du zur zärtlichen Zeit,
er tröstet dich
mit seiner Stille.

In den Niederungen
träumen schon enttarnte Trümmer
Auferstehung
einer anderen Welt.

Weil Deutung sich versagt,
vereinsamt dein lachender Mund,
und du atmest
die Schatten der Nacht.

Gerhard P. Michael

Wartezeit

Lange war ich still
Hab meiner Leere gelauscht
Hieß alle Bilder stehen bleiben

Vernahm nur den Wind
Der an mir rüttelte
Und mich brechen wollte

Vielleicht erwache ich
Oder verharre noch übers Jahr
Lass die Tage
An mir vorüberziehen

*

Zeitfluss

Die Jahre vergehen
Es raunt der stete Fluss der Zeit
Schon fallen die Blüten
Und gleich das goldene Laub

Der
Der wartet
Ist verloren im zögernden Hoffen
In den Nebeln
Unerlebter Sehnsüchte

Wenn der Eishauch
Des Todes
Seine Zeit anhält

Julika Helmreich

Ist Alles stumm und leer

Ist Alles stumm und leer,
Nichts macht mir Freude mehr.
Düfte, sie düften nicht,
Lüfte, sie lüften nicht,
Mein Herz so schwer!

Ist Alles öd und hin,
Bange mein Geist und Sinn;
Wollte, nicht weiß ich was;
Jagt mich ohne Unterlaß,
Wüßt ich wohin?

Ein Bild von Meisterhand
Hat mir den Sinn gebannt.
Seit ich das Holde sah,
Ists fern und ewig nah
Mir anverwandt.

Ein Klang im Herzen ruht,
Der noch erfüllt den Mut,
Wie Flötenhauch ein Wort,
Tönet noch leise fort,
Stillt Tränenflut.

Frühlinges Blumen treu
Kommen zurück aufs Neu;
Nicht so der Liebe Glück!
Ach, es kommt nicht zurück,
Schön, doch nicht treu.

Kann Lieb so unlieb sein,
Von mir so fern, was mein?
Kann Lust so schmerzlich sein,
Untreu so herzlich sein? –
O Wonn, o Pein!

Phönix der Lieblichkeit,
Dich trägt dein Fittich weit
Hin zu der Sonne Strahl –
Ach, was ist dir zumal
Mein einsam Leid?

Karoline von Günderode
** 1780 † 1806*

Letzte Wache

Wie dunkel sind deine Schläfen
Und deine Hände so schwer,
Bist du schon weit von dannen
Und hörst mich nicht mehr?

Unter dem flackenden Lichte
Bist du so traurig und alt,
Und deine Lippen sind grausam
In ewiger Starre gekrallt.

Morgen schon ist hier das Schweigen
Und vielleicht in der Luft
Noch das Rascheln der Kränze
Und ein verwesender Duft.

Aber die Nächte werden
Leerer nun, Jahr um Jahr,
Hier, wo dein Haupt lag und leise
Immer dein Atem war.

Georg Heym
** 1887 † 1912*

Verloren

Du hast mich nicht
gesucht
hast meine kreise
nicht in deine
seelenmitte
eingeschlossen

ich habe dich
gestreift
und fort
fort hast du mich
ziehen lassen

Elisabeth Schaffert

Einer, der auszieht,
ein Verjüngter,
das Lieben zu lernen.

Einer, der zurückkehrt,
ein alter Mann
mit müdem Schritt.

So warte ich
vergebens hoffend
Nächte, Nächte, Tage
und niemals heilt die Wunde Zeit.
Zum Abschied streift mich lächelnd
bang der eine seiner Flügel,
derweil sein andrer schon
woanders weilt.

*

Der Traum geht uns voraus. Die Wirklichkeit
holt uns ein. Dazwischen
sind wir.

Alle Ergründung braucht Zeit.

Annette Wenner

Niemals mehr

wie damals
in Venedig
am Fenster stehen
und warten
dass du
den verträumten Hof
im Ateneo
überquerst

und denken
dass du nicht
wie damals

dass du nicht

dass du niemals
wiederkehrst

Ingeborg Rinner

REGEN

deine stimme
in mir
blieb zurück
dunkel und
verwahrlost

dein lachen
tanzt noch
vom kopf
in den bauch
in den kopf

wolken ziehen
durch den raum
klanglos
fällt der regen
zwischen uns

deine stimme
schwimmt davon
jetzt
oder später
irgendwann

Franziska Pfaff

Résumé

Was hast Du mir gegeben
am Anfang
wie am Ende
Melancholie
matte Gereiztheit
Narben und Schildpatt
Lächerlichkeit, Deinen Freunden preisgegeben
dazwischen
eine riesige Wiese geteilt in Schatten und Sonne
stechendes Gras und ich fliege
das klare Türkis des Himmels
(ein paar blonde Haare in meinem Mund)
ein nasses Telephon
ein verletzter Christbaum
ein paar Photos, die nicht entwickelt wurden
der Duft Deiner Haut
Versprechen Vergessen Erinnern
Vernommen Verkommen
Vergeben Vergessen Gelitten Gekommen
Genommen
ins Schloß fallende Tür.

Carla Kraus

Wir glauben

Gestern noch
die geschenkten
Stunden. Die
Begegnung
nach all den
Jahren. Wir
hörten nicht
auf den
Uhrschlag.
Dies war unsere
gestohlene
Zeit. Du sprachst,
hörtest auch
mir zu, Freundin.
Wir glauben an
unser Versprechen.
Nie wieder so
lange warten
auf das
Wiedersehen.

Gisela Conring

Abschied

Geschlossen
ist nun
das Tor
des kleinen
Inselhauses

Uns immer
offen

Ein Stück
Inselwärme
nahmst du
mit
ins Nirgendwo

An manchen
Tagen
beim Gang auf
verschwiegenen
Inselwegen

höre ich aus
der Ferne
dein Lachen

Gisela Conring

Lebenslauf

Das Kind jagt
nach einem Blatt im Wind,
die Heranwachsenden
nach dem rechten Ton im Gespräch,
der Mann
nach der Flöte des Pan,
die Frau
nach Schutz für das Kind,
der Philosoph
nach dem ewigen Sinn,
der Manager
nach dem größten Auftrag,
der Maler
nach der ultimativen Farbe,
der Dichter
nach dem schönsten Reim,
der Musiker
nach dem klarsten Ton,
der Priester
nach dem höchsten Gott,
der Politiker
nach der absoluten Macht,
und der Alte
mit dem lachenden Enkel
wiederum
nach dem Blatt im Wind.

Kurt F. Svatek

Armer Kerl

Nie hätte er gedacht
einer zu sein mit knappem Geld
und nächtens keine Frau,
nur Fröstelei in Einsamkeit.

Jetzt, weißhaarig mit kleinem Wanst,
immer noch Wolfshunger wie eh und je,
kommt es ihm schwerer von Tag zu Tag,
das Leben.

Griesgrämig wühlt er im Vergangenen,
füllt sich den Lottoschein mit Hoffnung.
Morgen, das ist gewiss,
ist er um seinen Einsatz ärmer.

Johannes Viktor Feitzinger

… ET OMNIA VANITAS

Jugendwahn + Altersangst = Anti-aging.
Auf gut deutsch: Aus alt mach neu!

Faltenunterspritzung, Sono-Beauty-Lifting,
Nasenkorrektur, Lippenaufbau,
Brustvergrößerung, Brustverkleinerung,
Bauchstraffung, Fett-weg-Spritze, Profil-Harmonisierung,
und – und – und.

Der Mensch wird zu einer Sache,
die man glaubt, beliebig formen zu können.
Die versuchte Beherrschung des Alterungsprozesses
führt zur Verhöhnung des Alters,
das bald – wie der Tod – ein Tabuthema sein wird.

Das Altwerden ist ein physiologischer Ablauf,
dem wir uns stellen müssen.

Wir sind am schönsten,
wenn wir uns unserer Jahre nicht schämen.

Erika Macdonald

Alt geworden

Wir sind nun beide alt geworden
du
in der Ferne
im glücklichen Land
ich
im Alltag meiner Wünsche

in den Pausen
in den Lebensnischen meiner Flucht
höre ich wieder den Rhythmus der Wogen
fahre ich auf dem Schiff
eine kleine Weile auf unserem Schiff

wir suchten Inseln
fernab von unserer Welt
von deiner
von meiner
Stürme trieben uns in den Hafen
es war dein Hafen
mein Weg war weit

nun sind wir beide alt geworden

Katja Stehli-Christaller

Nachts – vor der Operation
Düsseldorf (September 2007)

Dunkel
in
leidvoller Stille.

Gedämpfte Notbeleuchtung,
abgeblendet.

Im Dickicht der Gedanken :
Bleibende Lähmungen
könnten sollten müssten,
aber extrem selten.

Schritte im Flur,
die Wasserspülung,
das Atmen von nebenan.

In der Leere
des ortlosen Raums
malt das Herz :

Graffitis der Hoffnung
im
Dunkeln.

Michael Harscheidt

Ausgang

Immer enger, leise, leise
Ziehen sich die Lebenskreise,
Schwindet hin, was prahlt und prunkt,
Schwindet Hoffen, Hassen, Lieben,
Und ist nichts in Sicht geblieben
Als der letzte dunkle Punkt.

Theodor Fontane
** 1819 † 1898*

Endlos

Noch formt Worte
dieser Mund
leise
blicken Augen
müde
fragend
greifen Hände
zitternd
schwach
schleppen Füße
zögernd
dem Ende entgegen
zum Anfang

Andrea Müller-Nadjm

Die mich zuerst geliebt

Die mich zuerst geliebt
längst sind sie wieder Erde
und die mit Leidenschaft
von mir Geliebten auch

Mir blieben treue Söhne
blieben junge Freunde
blieb die Erinnerung
die langsam nun verglüht

Am Stock krück ich zum Wald
darin die Gräber liegen
von denen die mich haben
einst zuerst geliebt

Dort zwischen alten Buchen
steht jung ein Birkenbaum
Für seine Wurzeln werde
ich wieder Erde

*

Getröstet

Stirbt einer im Dorf
wird er begraben im Wald
hoch überm Fluss

Die Toten leben
dort weiter im Schatten
rauschender Bäume

Weiß ich nicht weiter
hör ich getröstet
dem Flüstern zu

Ade Leid

Altern

In ihrem Gleichmaß
tropfen die Tage
vorüber an mir

Ich sitze: sitz im
Gefängnis des Alterns
Nichts gelingt noch gedeiht

Ich lerne: lerne
willkommen zu heißen was kommt
heißt: mir zukommt

*

Sterben vor der Zeit

Kann mich von alten
Kleidern nicht trennen – nicht von
Lebens Möglichkeit

Nicht von Führerschein
nicht von alten Freunden
– mir ist es Sterben vor der Zeit

Ade Leid

Geh du nur hin!

Ich war auch jung und bin jetzt alt,
  Der Tag ist heiß, der Abend kalt,
  Geh du nur hin, geh du nur hin,
  Und schlag dir solches aus dem Sinn.

Du steigst hinauf, ich steig hinab,
  Wer geht im Schritt, wer geht im Trab?
  Sind dir die Blumen eben recht,
  Sind doch sechs Bretter auch nicht schlecht.

Adalbert von Chamisso
** 1781 † 1838*

Zwei Kindertotenlieder für Albrecht 1952–1955

Ihr Vögel, fallt vom Himmel, meine Lieder,
die ich mit euch einst sang, vergeßt, ein Stoß
von Kälte fegte sie von meinen Lippen,
Mund, Ohr und Aug mir zu: Die schönste aller Gaben
zerbrach im Sturm der Schmerzen, hingestreut,
wie welke Blumen all die kleinen Glieder,
der zarten Finger Klamm'rung ließ mich los,
wie bist du abgewandt von mir und meiner Hand entglitten,
wer riß dich so aus meinem Fleisch, daß mir
die Wunde schwären wird, solang ich bin.
Fallt Vögel, schweigt auf kahlem Baum,
wie könnte ich denn dulden,
daß jetzt noch irgendwo die Kreatur sich freut!
Und doch, wenn Gott euch je das Singen gab, dann nur
um heute meinem kleinen Knaben
die Seele sanfter loszulösen, schwingend auf mein Leid
mit ihr an seinen Thron – das Paradies ist weit –

Alle Kinder sind groß
eines bleibt klein
kommt durch verschlossene
Türen, hat seine weiße
Calla vom Sarg-
bett dabei, ich sage,
immer noch diese Farbe
voll Schnee und Kälte
mein Kind sagt, leg
einfach Rosen dazu
ambergelb, dunkelrosa
orangefarben, das bedeutet:
Lebendig, das heißt, etwas
ist neu geworden, das meint
Wärme und Licht –

Ursula Matenaer

Für Anselm 1956–2007

Wenn du dann kommst
notwendig-ungeliebter
Tod, halt Reihenfolge ein
ich stell mich breit
vor meine Brut, schreie
nach Schutzengeln und würde
gerne mit magischen Formeln
ihre Fahrzeuge präparieren
wiewohl solche Gedanken von
archaischen Müttern stammen –

– *aber der Tod* hält ganz und nie
nichts von derart Beschwörungen, jetzt
suchen wir armen Eltern wieder bei
Hiob den tröstlichen Vers, denn er schlief ...
er schläft und wacht nicht mehr auf
– das ist mitten im Glück –
von der einen Liebe zur anderen
schlafend getragen. Jetzt halten die
toten Söhne die lebendigen Brüder und
Schwestern halten einander ganz inniglich
fest und umfangen *und bis wir uns wiedersehen*
halte Gott dich fest in seiner Hand –*

Ursula Matenaer

* Refrain eines irischen Segenspruchs

Auf meines Kindes Tod

Von fern die Uhren schlagen,
Es ist schon tiefe Nacht,
Die Lampe brennt so düster,
Dein Bettlein ist gemacht.

Die Winde nur noch gehen
Wehklagend um das Haus,
Wir sitzen einsam drinne
Und lauschen oft hinaus.

Es ist, also müßtest leise
Du klopfen an die Tür,
Du hättst dich nur verirret,
Und kämst nun müd zurück.

Wir armen, armen Toren!
Wir i r r e n ja im Graus
Des Dunkeln noch verloren –
Du fandst ja längst nach Haus.

Joseph Freiherr von Eichendorff
** 1788 † 1857*

Die Todessehnsucht

Du segelst auf illuminierten
Wellen der Sehnsüchte,

verzauberte Berge,
verträumte Täler durchquerend,

und bewegst
die verhängnisvollen
Ruder der Imagination,
wie in einem Kabarett.

Vor dem Schatten
der Vergangenheit geflüchtet,

kommst du
an den Lichtkegel
der Zukunft immer näher heran.

Doch es ist nicht die Vergangenheit,
sondern ausgerechnet die Zukunft,

die
die Todessehnsucht in dir weckt.

Und trotzdem ...

... the show must go on.

Eva Krüger

Die Sternschnuppe

Du wirst schlafen.

Die Dunkelheit bereitet einen Empfang.
Die Sonnenstrahlen
erblassen.

Du wirst schlafen.

Die Mondgöttin betritt die Bühne der Sterblichen.
Die Blumen der Finsternis
erblühen.

Du wirst schlafen.

Das Geschrei entehrt die Stille der Nacht.
Der Engel des Todes
erscheint.

Du wirst schlafen.

Die Sternschnuppe wirft eine Leiter hinab.
Eine vereinsamte Seele
klettert empor.

Du wirst schlafen.

Eva Krüger

AUF REISEN

Wie sie die Hände
stille
faltet
in den Schoß legt

nach Kriegen
und Aufbau
alltäglichen Kämpfen
rauer Hände
– endlich –
auch Frieden findet

wie sie das Leben nahm
daraus machte
was die Zeit eben hergab

und im Sessel ruhend
nun zähe dem Leben
entschläft
bricht ihr Lächeln das Schweigen
nimmt uns mit fort

Christiane Czymoch

NACH DEINEM TOD

trägst du
ein anderes
gesicht

vorher
hast du es
in dir getragen

jetzt
darfst du es
zeigen

*

TOTENSONNTAG

bald ihr toten
gehör ich zu euch
und betrete dann einmal die erde

am totensonntag
wie ihr es heut tut
unmerklich leicht durch den nebel

bald ihr toten
gehör ich zu euch
und bin in schuhen so leicht

am totensonntag
wie ihr es heut tut
werde ich eins mit dem licht

Jörg Neugebauer

Du hast dich
auf den Weg gemacht

einer ferneren
Geborgenheit
entgegen

von ganz weit
himmelwärts her

Mit Leichtigkeit
im Gepäck

einem Schatz
kostbarer Erinnerungen

und der Hoffnung
dass die Finsternis
licht wird

Bin gespannt
was noch kommt
rufst du uns zu

Lebt wohl und denkt
daran Ihr seid in Gottes
Hut

Regine Plaß

Vergänglichkeit

Vom Baum des Lebens fällt
Mir Blatt um Blatt,
O taumelbunte Welt,
Wie machst du satt,
Wie machst du satt und müd,
Wie machst du trunken!
Was heut noch glüht,
Ist bald versunken.
Bald klirrt der Wind
Über mein braunes Grab,
Über das kleine Kind
Beugt sich die Mutter herab.
Ihre Augen will ich wiedersehn,
Ihr Blick ist mein Stern,
Alles andre mag gehn und verwehn,
Alles stirbt, alles stirbt gern.
Nur die ewige Mutter bleibt,
Von der wir kamen,
Ihr spielender Finger schreibt
In die flüchtige Luft unsre Namen.

Hermann Hesse
** 1877 † 1962*

Abschied

Ich kann nichts tun,
bin still bei dir,
halt deine Hand
und segne dich.

Quält dich der Schmerz
und fürchtest du
den Übergang
durchs dunkle Tor?

Ich fühl mit dir.
Doch jeder Mensch
geht diesen Weg
für sich allein.

Der Abschied naht.
Leicht werde dir
die Rückgeburt
ins Land des Lichts!

Gisela Wimmer

Abschied

fest halten wollen
den letzten Moment
hilflos klammern
an diesen Funken Zeit
den Atem anhalten
damit Zeit zeitlos werde
verzweifelt suchen
nach den letzten Worten
und danach –
daran denken
was noch hätte gesagt werden müssen

Paul Grün

Im Tode entrückt

In der Landschaft
meiner Vergangenheit
bist Du die Mitte

*

So viele Monate
und Dein Zimmer
atmet Dich noch
und ich
atme Dich

Das ist traurig
und tröstlich

*

Seit
dein Gesicht ohne Seele
vor mir lag
die unumkehrbare
Fremdheit des Todes
in ihrer unerbittlichen Ruhe
zu mir kam
gibt es keine Rückkehr
grundloser Freude

*

Gänzlich
von Traurigkeit erfüllt
verlasse ich mein Haus
gehe hinaus
mache
meine Tage
zu einem Geschwätz

Inge Titzck

ÜBER
NACHT

un
denkbar
dein krank
sein

un
fassbar
deine
hände

un
nahbar
dein körper

gefesselt
an schläuche
voller gift

die maske

schutz für
dich & mich

hält fest
den mund ver
borgen

doch nicht
mein herz

un
beirrt

monica buchfeld

SPUREN

heut
wachsen birken
aus
dem fundament
das einst
der ur
großvater richten
ließ

die mutter hat
dort oft
gespielt am
hang

das haus mit
bunten fenstern
nahm der
krieg & nicht
nur das

allein
der bunker
blieb mit seinen
blinden augen
aus dem der
schlehdorn
seine zweige
drängt

monica buchfeld

TOTENSONNTAG

rissig meine haut nur
dünnes eis und dicht
darunter dein starres
bild deine tonlose
stimme splitternde
erinnerungen sprengen
in sekunden meine
hülle brechen auf die
jahre reißen mich
zurück als wärst
du gestern erst
gestorben
bruder

Antje Marklewitz

Auftrag

Ihr Freunde hänget, wann ich gestorben bin,
Die kleine Harfe hinter dem Altar auf,
  Wo an der Wand die Totenkränze
    Manches verstorbenen Mädchens schimmern.

Der Küster zeigt dann freundlich dem Reisenden
Die kleine Harfe, rauscht mit dem roten Band,
  Das, an der Harfe festgeschlungen,
    Unter den goldenen Saiten flattert.

„Oft", sagt er staunend, „tönen im Abendrot
Von selbst die Saiten leise wie Bienenton:
  Die Kinder, hergelockt vom Kirchhof
    Hörtens, und sahn, wie die Kränze bebten."

Ludwig Heinrich Christoph Hölty
** 1748 † 1776*

als du es wußtest
schwiegest du

erheitertest uns
wir hofften wieder

bis es dein Körper verriet

selbst da lachten wir
jagten dem Schönen nach

nachts stiegen
Tränen auf

du aber fülltest deine
Zeit bis zum Rand

kostbare Tage

Hildegard Kubitscheck

mir ist so weh ums herz

wo bist du hin

schon oft beschriebst du das dunkel
in wintergedanken

dann wieder die fülle des lebens

und jetzt

keine taube sendest du aus
nicht eine herzoffene botschaft mehr

ich wog und schätzte wort für wort

vergessen war der schmerz der nacht
du setztest leichter wieder fuß vor fuß

und wo weilst du jetzt

schaust du vielleicht
mit neuen augen
heiter und befreit
des himmels schönheit

Hildegard Kubitscheck

DER DICHTER

Du entfernst dich von mir, du Stunde.
Wunden schlägt mir dein Flügelschlag.
Allein: was soll ich mit meinem Munde?
Mit meiner Nacht? mit meinem Tag?

Ich habe keine Geliebte, kein Haus,
Keine Stelle, auf der ich lebe.
Alle Dinge, an die ich mich gebe,
Werden reich und geben mich aus.

Rainer Maria Rilke
** 1875 † 1926*

Ewigkeitssonntag

Wenn Jerusalem
das zwölfperlige
heruntersinkt

wo
wird es landen

auf einem Berghang
versteckt zwischen
rotglühenden Abendfelsen

auf vogelschützenden
Salzwiesen
im Herbstsonnenlicht
der Horizont ist
weißgebrannt

oder

auf dem verdreckten
Spielplatz
Hassparolen
hinter dem
Asylantenheim

ähnlich
dem Stall

Reinhold Ahr

Zeitlos

Im Angesicht der Ewigkeit
Zählt die Magie des Augenblicks
Wie der Rekord im Tausendstel
Jung ist der Tag am Abend
Lang die Stunden des Wartens
Mittags wird der Mond müde
Wie die Sonne um Mitternacht
Gegenwart als Illusion
Im gleichzeitigen Geschehen
Schnelligkeit wird subjektiv
Wer kommt wie alt zu spät
Weit muß man reisen
Länger jung zu bleiben
Noch schneller denken
Die Zeit anzuhalten
Die Sterne stehen allzeit günstig
Wo stehst Du

Andrea Müller-Nadjm

In den Spiegel
schauen

Was war und
was geblieben ist

nicht schwarz
auf weiß

Schrift gegen den Strich
entziffern

Farben weisen
den Weg

gold
contra
grau

Zukunft
hält
Einzug

ganz nebenbei
holt sie uns ein

Vermächtnis
der Gegenwart

Regine Plaß

Essentielle Fragen

Und wenn ich es könnte
würde ich es wirklich wollen
und wenn es vollzogen würde
wäre es wirklich getan

Stetig laufen
und doch stehen bleiben
Namen nennen
und sie doch nicht kennen
Frieden sagen
und doch im Krieg sein
Hass sehen
und wohl Lieben meinen
Sehnsucht fühlen
und doch Geborgenheit suchen

Und wenn alles so kommt
ist es dann wahr
oder bleibt es das Das
mit der Frage nach Wie
und der Hoffnung auf Ja

Paul Grün

Was ist

Was ist
wenn nichts mehr ist
Was ist
wenn leer du bist

Enttäuscht und
ausgebrannt
noch Dingen
zugewandt
die Wichtigkeit
besessen für dich
Du glaubst indessen
ohnmächtig
zu erkennen wie
sich Welten trennen
begreifst
erschreckend klar
was einmal war

Umsonst
Vergebens
Alltag des Lebens

Fragen stehen im Raum
Antwort gibt es kaum
zu dieser Stunde nicht
Illusion zerbricht
Traurigkeit
macht sich breit

Du willst nicht unterliegen
Es gilt sich zu besiegen

Carola Hügli

dein lautes spiel
hallt meine täler

frost schüttelst
in meine heiße hand

mir dämmert: du bist kein gott

zerwünschung

*

die sonne tastet
doch schweigen lastet
auf mir

mein leben will
singen bringen

doch klingen tut nur
die zeit

warmer wind
wintert mein alles

kind des
nichtsmehr

Tamara Nölscher

LEERREICH

nicht wissen
wohin
mit der Leere
die diese frostige Freiheit
zum Weggefährten hat

oder

was
in die Leere hinein
sie zu stopfen
bis oben hin

so jeden Raum
zum Atmen stopfen
langsam daran ersticken

dass da noch immer nichts ist
nichts wirkliches

wirklich nicht wissen
wohin mit der Leere
aber versuchen
aufs Papier

Christiane Czymoch

Schriftzeichen

Bevölkertes Land
Bäume mit Plastikfetzen bestückt
Straßen die in die Städte führen
wo das graue Leben einhergeht

Berge mit wunden Gesichtern
aus denen das Eis stürzt
Täler voll schwarzer Gewässer
unterm grün blasigen Vlies

Himmel mit Schriftzeichen
die gegen die Sonne gerichtet
durchzogen von Bändern
aus deinem verwundeten Blick

Meere ums Land
gemalt mit der unendlichen Farbe
Schimmer wie Hoffnung ein silberner Vogel
aber immer noch jeden beginnenden Tag
neu das äonische Gold

Bernd Stadelmann

Es war nie anders

Don Quichote würde heute
gegen die Windmühlen
der Korruption kämpfen,
gegen Geldwäsche und Bestechung,
Menschenhandel und Krieg,
Lüge, Arroganz, Chauvinismus,
die Allmacht der Aktionäre
und gegen die Zerstörung der Umwelt.

Er würde jedoch
veralbert und gehänselt werden,
verulkt und verhöhnt,
gefrotzelt und verspottet.
Und er würde vom Mahlwerk der Macht
aufgerieben werden,
wie all die Jahrhunderte zuvor.
Und dennoch sollte es ihn wieder geben.

Kurt F. Svatek

Im heilen Haus

Ist sie denn jemals heil gewesen,
die Welt, in der ich leben muss?
Ein Niederhalten, kein Genesen,
ein Trugbild nur, so viel Verdruss.

Die Mütter hold und sanft die Väter,
die wir erinnern nett und fein,
darunter gut getarnte Täter,
sie hatten's leicht beim süßen Wein.

Erzieher maßen uns beständig –
Die Opfer schweigen sich noch aus.
Es grummelt lautlos, doch unbändig.
Was ist denn heil im heilen Haus?

Jutta Biering

Hoffnung?

Was für ein Land –
voll Leben, Freiheit und sich lieben dürfen.
Voll Menschen, Möglichkeiten, Chancen
für jeden –
hat er gedacht
und machte sich auf den Weg
in dieses fremde, reiche Land.

Was für ein Land –
das alles geben kann.
Doch wer darf davon nehmen,
hat er gefragt,
wer darf hier sein?
Wer leben?

Was für ein Land –
das Menschen unterscheidet
in Herkunft, Religion, Farbe,
das entscheidet über Dasein,
Bleiben oder Gehen?

Was für ein Land –
das keinen Platz hat
für einen wie ihn.

Waltraud Cazabonne

Enttäuschung

Brachliegend
weiter Innenraum

Von Todesfliegen
übergossen
die Erde

In schwarzen Wolken
aufgehängt
der Himmel

Über Zeitlöchern
festgezurrt
die Seele

Ausgedehnt
das Land
über die Ränder
der Welt

Geschlossen
das All
für die Blicke
des Ichs

Schwankend
das Glück
in den Tiefen
der Zeit

Brachliegend
weiter Innenraum

Bernd Michael Köhler

FREIER FALL

jäher absturz aus leuchtenden
höhen ohne halt in die
reißende tiefe der bodenlose
fall treibt eisnadeln unter die
haut rauschende schwärze ins
herz rasend im kopf die
kälte diese freiheit hab
ich nicht
gemeint

*

SCHALENTIER

schichtweise hüll ich mich
ein trag ich schwer an meinen
harten angsthäuten durchlässig
trotz allem leere schmerzschalen
schutz nur scheinbar will
mich wieder regen häuten
panzer sprengen die starre
schwere abwerfen wie
nutzlosen ballast und
kein schalentier
mehr
sein

Antje Marklewitz

Der Brückenpenner

Sechs Uhr morgens
unter der Brücke,
nichts im Bauch
und nichts in den Taschen.
Löcher, durch die alles fällt:
Letzter Pfennig,
Erinnern,
Hoffen.

Harte Bank, diese Nacht,
Schmerzen im Steiß
und anderswo.
Auch am Himmel nichts Gutes –
lauernder Regen in trüben Wolken.

Nur einen warmen Kaffee jetzt,
eine Suppe, vielleicht.
Und dann:
Zeit totschlagen,
laufen,
pennen,
warten.
Worauf?

Halt's Maul!
Gibt's noch 'nen Schluck in der Pulle?

Brigitte Schubert-Oustry

Allerseelen

Nicht nur über Gräbern
flattern Blätter nieder.
Bäume stehen überall.
Unter ihnen gehen die Lebendigen.

Die grellen, käuflichen Farben
leuchten nicht für die Toten.
Was sollten sie mit dem Spielzeug
der Zurückgebliebenen?

In den Sternengebirgen
glüht eine andere Sonne.

Die Asche blüht nicht auf
im Urnenregal.
Und der morsche Knochenrest
in der Erde keimt nicht.

Unendlichkeit
erträgt nur der Verwandelte.
Ihr fremder Hauch vernichtet,
ehe er wieder erweckt.
Wie entstünde sonst Wiedergeburt?

Dies irae?
Dies salutis?

Brausen des Geistes über der Erde.
Ewige Schöpfung aus dem Weltenschutt.
Ewiges Rad, das zermalmt.
Ewiger Wind, der zur Höhe trägt.

Karl Bladt

Der Elektronen ewiges Gedächtnis
lenkt ihre Bahn
im rasenden Geläuf
des Unsichtbaren.
Dein Auge versagt.
Dein Ohr ist taub.
Deine Hand wie ein Berg
vor der Fliege,
schwer, erstarrt, fühllos.
Das Geheimnis
ist nicht zu enträtseln.
Du lebst in ihm,
bist zum Schweigen verurteilt
aus Nichtwissen.
Eingesponnen bist du
ins Gewebe,
in dem das Leben sich erneuert,
sich umwälzt
vom Abgestandenen ins Neubelebte.

Karl Bladt

Kriegskindheit

Dass über meinem Bett
das Bild von Hermann Göring hing
und über dem Bett
meines älteren Bruders gegenüber
das Bild von Adolf Hitler –
die Auseinandersetzung damit
machte uns lange zu schaffen.

Und die Bombennacht
im Luftschutzkeller in Hannover,
als die Mitbewohner laut beteten
und wir Kinder vor Entsetzen
kein Wort sagten,
verlor erst nach Jahren
ihre Macht über uns.

Aber die Liebesträume von Liszt,
die Dora Brentzel
nach dem Fliegerangriff
oben in ihrer verwüsteten Wohnung
am Flügel spielte,
während das ganze Haus lauschte,
sind bis heute nicht verklungen.

Detlev Block

Nach Baumesart sterben

Noch als alter, knorriger Baum
Schatten spenden
und inmitten derer, die beim Sturz
mit zu Boden gerissen wurden, liegen bleiben
dürfen.
Aber auch als morscher, abgesplitterter Stumpf
noch gegen den Himmel ragen
oben wie unten also
Totholz sein
dürfen.
So zur Heimstatt werden
für Insekten, Würmer, Vögel, Pilze
und zu Erde zerlegt werden
also wieder werden
dürfen
Erde
die grünt.

Richard Staab

Mai

Den Mercedes
an den Wegesrand geparkt
und verriegelt
draußen
vor der Stadt

Auch hier
wachsen die Häuser
im Kopf
noch immer
die doppelten Bilanzen
der letzten Woche

Auf einmal wuchert hier
wie Unkraut
die Kindheit
in der Mittagshitze

Nach wie vielen Jahren
sucht er
nach Münzen
beim ersten Kuckuckslaut
und wendet sie

Richard Staab

Dein Wille geschehe

Wo bist du, Gott?
Fern bist du uns.
In allem Weinen
laß unserem Schmerz
Raum zum Schreien.

In allem Warum
bleib nicht stumm.
Mach uns still.
Halt uns fest
und trag uns
durch das dunkle Tal
in dein Licht,
dahin, wo deine Gnade Salbe
für unsere wunden Herzen ist.

Marga Neuner

Zurück

Geh durch den Baum
eh du das Hochhaus betrittst.
Wische das Mondlicht
aus deinem Blick
eh du die Neonschrift siehst.
Vergiss nicht
im Glitzern der Werbung
die Sprache der Schatten zu lesen.
Löse die Hülle aus Plastik.
Finde am Wege zum Anfang
wieder den Baum

*

Entschlossen

Betonritzengras
im Hochhauswald,
eine Insel
im großen Grau,
tapferer Kämpfer,
trotziges Grün,
immer entschlossen
dennoch zu blühn.

*

Immer ein Haus

Welt zersingt Welt
bis sie zerspringt

Aus spitzen Scherben
zerbrochenen Resten
bauen wir weich,
bauen wir warm
immer ein Haus.

Vera Gembicki

Prometheus

Bedecke deinen Himmel, Zeus,
Mit Wolkendunst
Und übe, dem Knaben gleich,
Der Disteln köpft,
An Eichen dich und Bergeshöhn!
Mußt mir meine Erde
Doch lassen stehn
Und meine Hütte, die du nicht gebaut,
Und meinen Herd,
Um dessen Glut
Du mich beneidest.

Ich kenne nichts Ärmeres
Unter der Sonn, als euch, Götter!
Ihr nähret kümmerlich
Von Opfersteuern
Und Gebetshauch
Eure Majestät
Und darbtet, wären
Nicht Kinder und Bettler
Hoffnungsvolle Toren.

Da ich ein Kind war,
Nicht wußte, wo aus noch ein,
Kehrt ich mein verirrtes Auge
Zur Sonne, als wenn drüber wär
Ein Ohr, zu hören meine Klage,
Ein Herz, wie meins,
Sich des Bedrängten zu erbarmen.

Wer half mir
Wider der Titanen Übermut?
Wer rettete vom Tode mich,
Von Sklaverei?
Hast du nicht alles selbst vollendet,
Heilig glühend Herz?
Und glühtest jung und gut,
Betrogen, Rettungsdank
Dem Schlafenden da droben?

Ich dich ehren? Wofür?
Hast du die Schmerzen gelindert
Je des Beladenen?
Hast du die Tränen gestillet
Je des Geängsteten?
Hat nicht mich zum Manne geschmiedet
Die allmächtige Zeit
Und das ewige Schicksal,
Meine Herrn und deine?

Wähntest du etwa,
Ich sollte das Leben hassen,
In Wüsten fliehen,
Weil nicht alle
Blütenträume reiften?

Hier sitz ich, forme Menschen
Nach meinem Bilde,
Ein Geschlecht, das mir gleich sei,
Zu leiden, zu weinen,
Zu genießen und zu freuen sich,
Und dein nicht zu achten
Wie ich!

Johann Wolfgang von Goethe
** 1749 † 1832*

AHR, REINHOLD; * 1950; Studium der Psychologie, Medizin und Theologie; lebt heute als Autor in Speyer. Veröffentlichungen: „Empfindungssplitter", 1991, „Fänger sind sie alle", 1998. Seite 17, 131, 219.

ANDERKA, JOHANNA; * 1933; lebt in Ulm; „Silbenhaus", „Zugeteilte Zeit", „Namen geben den Zeichen", Ed. L.; Lenau-Preis, Sudetend. Kulturpreis, Ehrengabe A. Gryphius-Preis, Inge-Czernik-Förderpreis. Seite 132, 133, 134.

ANDERS-ALICH, TATJANA; * 1968; Bockenem. Veröffentlichungen: „Lyrik für die Westentasche", „Heimkehr", „Das Gedicht", „Gestern ist nie vorbei", „Lyrik Heute", Edition L. Seite 35.

BAYER-CORNELIUS, CARLA; * 1943; lebt in Amönau; Lehrerin; Mitglied des Marburger Autorenkreises. Veröffentlichungen seit 1986. Seite 105.

BENSELER, GISELA; * 1939; Kassel; Herausgeberin „Eine kleine Brücke von Mensch zu Mensch". 1995 Gründung „Verlag der LICHT-RUFE" und „LICHT-Blicke Die Stimme der Frau". Seite 34.

BIERING, JUTTA; * 1955; Landpfarrerin im östlichen Brandenburg. Gedichtband „Lebensfülle" und „Lebensfluss". Seite 228.

BLADT, KARL; * 1920; München; Bildhauer. Veröffentlichungen von Lyrik und Prosa, ein Gedichtband, historische Bühnenstücke im Auftrag. Seite 233, 234.

BLATTL, GABY G.; * 1944 in Wien; schreibt Lyrik, Kurzprosa, Märchen, Lesungen in literarischen Vereinigungen. In Anthologien vertreten. Seite 99.

BLOCK, DETLEV, Prof. h.c.; * 1934; Bad Pyrmont; Theologe und Schriftsteller. Mitglied VS, Kogge, Plesse, Gesellschaft f. zeitgenössische Lyrik GZL, VG Wort, VG Musikedition. Öffentliche Lesungen, auch im Rundfunk; über 80 Bücher: Lyrik, zuletzt „Der Himmel hat viele Farben", Prosa, Kinder- und Sachbücher, Anthologien und Bildbände, Geistliche Lieder, zahlreiche Vertonungen auch im Ev. Gesangbuch. Div. Auszeichnungen, jüngst: 1. Preis Kurpfälzer Lyriktage 2006 (Inge-Czernik-Preis). Seite 20, 22, 235.

BÖHNING, GABRIELE; Hofheim/Ts.; Schriftstellerin. Bücher: Märchen, Erzählungen, Kurzgeschichten, Gedichte. Div. Auszeichnungen. Vertonung von Gedichten als Chorwerke. Seite 15, 16.

BRAUER, INGEBORG M.; geb. in Steyr, Ober-Österreich; lebt in Berlin; Veröffentlichungen von Erzählungen, Kurzprosa und Lyrik. Vertreten in „O du allerhöchste Zier", „Auszeit", „LYRIK HEUTE" (2005), „Wir träumen uns", „Ich lebe aus meinem Herzen" und in „LYRIK HEUTE" (2007), im Czernik-Verlag/Edition L. Zahlreiche Lesungen. Seite 33, 171.

BREUER, HOLGER; * 1961; Dortmund; Sozialpädagoge; Veröffentlichungen unter anderem in Anthologien der Edition L und des FDA. Internetseite www.wortpuzzle.de. Seite 70.

BUCHFELD, MONICA; Gummersbach; Lyrik: zeilen-sprung; trotzdem; blatt werk; Mitglied in „stiftung lesen" und EMG. Seite 212, 213.

CALINA, ANNA CARMEN; * 1956; Hamburg; Journalistin und Filmemacherin. „Wir sind die Letzten – fragt uns aus“ (Arte/ZDF); Gespräche mit Künstlern und Schriftstellern, die in den dreißiger Jahren von Deutschland nach Frankreich emigrieren mussten. 2006 Lyrikband „FreiheitsFunken – ein ikaräischer LichtFlug“. Seite 142.

CAROSSA, HANS; 1878–1956. Seite 104.

CAZABONNE, WALTRAUD; * 1937; Berlin; Veröffentlichungen in Anthologien und Zeitschriften, Lesungen im Berliner Raum. Seite 229.

CHAMISSO, ADALBERT von; 1781–1838; Seite 199.

CHUDZINSKI, CORNELIA; * 1955; Witten; Bankkauffrau. Schreibt Gedichte/Haiku und Kurzgeschichten. Seite 41.

CINGLAR, BOCHDAN; * 1929; Hruschau; Erzählungen, Hör- und Schauspiele, zahlreiche Bücher. Seite 111.

CONRING, GISELA; * 1929; Emden; Sekretärin; Mitglied in Autorenkreisen, 2001/2002 Vorsitzende AK Ostfriesischer Autoren. Lesungen, Lit.-Tel., Beiträge in Anthologien, Lit.-Zeitschr., Kalendern, Radiosendungen. Wolfgang A. Windecker Lyrikpreis 2007. Seite 188, 189.

CZYMOCH, CHRISTIANE; * 1985; Heidesheim; Studium der Psychologie, Theaterwissenschaft, der Deutschen und Englischen Philologie. Veröffentlichung in „Wie eine Feder will ich sein“ (Jokers-Lyrik-Preis 2006). Seite 205, 225.

DEHMEL, RICHARD; 1863–1920. Seite 108, 161.

DREHER-RICHELS, GISELA; bildende Künstlerin, freie Schriftstellerin: „Spuren im Sand“, „Ulyssa“ u. CD, „Licht durchs Gezweig unserer Schatten“, „auch heut näher dir als du weißt“; zahlr. Anthologien, Lehrbücher, spirituelle Literatur, Sendungen. Seite 101, 102, 103.

EICHENDORFF, JOSEF FREIHERR von; 1788–1857. Seite 202.

ELFENBEIN HEIDE; * 1934; lebt nahe Cambridge in England; veröffentlichte unter den Namen Heide Strauß-Assendorf oder Heide Elfenbein „Mein Huhn hat vier Beine“, „Umbrüche“, „Geh aus mein Herz und schreie“, „Die Jammerhecke“, „Widerspruch“; 1990 Preis beim Lyrischen Oktober, Edition L. Seite 37.

FEITZINGER, JOHANNES VIKTOR, Dipl.-Phys., Dr. rer. nat., Prof. f. Astronomie, Bochum; * 1939 in Troppau; zahlreiche wissenschaftliche Veröffentlichungen, mehrere Fachbücher und populärwissenschaftliche Bücher; zahllose Feuilleton Beiträge in Tageszeitungen. Seite 115, 116, 191.

FINZER, MICHAEL; * 1959; Wohnsitze in Rheinhessen; Pfarrer, evangelisch/Diplom-Psychologe. Aufmond-Nightover, Lyrikband 1997. Einzelne Geschichten und Gedichte veröffentlicht in Sammelbänden und Anthologien: Seitensprünge, Zeit-Reize/Reiz-Zeiten, Rhein und Raus. Andere Texte vom Fluss. Seite 36, 166.

FONTANE, THEODOR; 1819–1898. Seite 195.

FUCHS-MATTMÜLLER, SIGRID; * 1934; Rangendingen; In Zeitungen und Anthologien vertreten. Seite 172.

GEBERT-FETH, DIETRUN; * 1949; Saarbrücken; Fremdsprachensekretärin; 1971–75 Studium der Sozialpädagogik an der Evang. Fachhochschule in Ludwigshafen/Rhein, anschließend Berufstätigkeit in der Jugendarbeit in sozialen Brennpunkten. Lyrik und Kurzprosa. Veröffentlichungen in zahlreichen Anthologien, Lesungen, 1994 Gedichtband „Dichtphasen“, 1998 Gedichtband „Körpersprache“; einige Gedichte vertont und aufgeführt. Seite 169, 170.

GELMINI, HORTENSE von; Freiburg; Schriftstellerin, Malerin, Dirigentin. Essay, Lyrik, Aphorismen, zahlreiche Buchveröffentlichungen, u.a. „Augenblicke christl. Besinnung“, gesammelte Gedichte, Edition L. Seite 84, 85.

GEMBICKI, VERA; * in Berlin; lebt in Halstenbek bei Hamburg. Die gelernte Bibliothekarin ist Lyrikerin und Malerin. 1994 erschien in der „Edition L“ ihr Gedichtband „Lebenszeichen“. Seite 239.

GERHARD, JUTTA; Wendelstein. Seite 76.

GOETHE, JOHANN WOLFGANG von; 1749–1832. Seite 240.

GRAF, FRANZ; * 1944; München; Veröffentlichungen: „Hinter den Dingen“, „Phönix-Geometrie der Liebe“. Seite 90, 91.

GRÜN, PAUL; * 1956; Studium der Geschichte und ev. Religionswissenschaften; lebt als Lehrer in Fulda. 2007 Lyrikband „Hören nach dem Gestern“, Edition L. Seite 69, 210, 222.

GRYPHIUS, ANDREAS; 1616–1664. Seite 25.

GÜNDISCH, MATHILDE; * 1935 in Siebenbürgen/Rumänien; wohnhaft in Esslingen am Neckar als Dichter- und Malerin. Diplomingenieurin in der Textilindustrie für Modestoffe; zahlreiche Veröffentlichungen. Seite 42.

GÜNTHER, KARL-ADOLF, Professor Dr.; * 1950; wohnt in der ländlichen Umgebung von Aschaffenburg; Rechtsanwalt, Notar und praktischer Psychologe, praktiziert in Hanau. Veröffentlichungen von Lyrikbeiträgen in zahlreichen Anthologien verschiedener Verlage seit 1990. Seite 48, 49.

GÜNDERODE, KAROLINE; 1780–1806. Seite 181.

GUTMANN, BRIGITTE; Autorin von 5 Gedichtbüchern, einem Märchenbuch, einem Buch mit Erzählungen, einem Hörspiel. „Vom Glanz in deinen Augen und der Berechtigung deiner Schreie“, Gedichte, Edition L 1992. Mitwirkung bei vielen Anthologien der Edition L. Mitglied vom STE und FDA. Seite 50, 51.

HAGEN, ELKE DOROTHEA, Dr. med.; * 1953; Praktische Ärztin in eigener Niederlassung in Markkleeberg/Sachsen und Hospizärztin im stationären Hospiz „Villa Auguste“ in Leipzig. Veröffentlichungen von Gedichten in Anthologien und über den Hospizverein Leipzig e. V. Seite 52, 53.

HAGMEIER, BRIGITTE M.; * 1932; Eningen/Achalm und Horsefly B.C. Kanada. Veröffentlichungen: Lyrik bei Ed. L, „... wo der Loon ruft“, „Tiergeschichten“ (Prosa), „Tautropfen“ (Gedichte). Seite 175.

HARSCHEIDT, MICHAEL, Dr.; Wuppertal; Zahlreiche Publikationen u. a. Doktorarbeit über die geheime Zahlensymbolik, bei Günter Grass.
Seite 149, 194.

HARST, UTA; * 1946; Rösrath; Studium der Philosophie und Germanistik, unterrichtet beide Fächer an einem Gymnasium bei Köln. Veröffentlichungen: Erster Gedichtband: Alles fließt ... Über-Gänge. Frankfurt 2007. Seite 45.

HARTMANN, GILA; * 1953; Nürnberg; psychologische Beraterin; Tango-Lesung: Kulturhaus Nürnberg & Jokers-Lyrikpreis 2007, Poetry-Projektvorbereitung für Indianer-Kinder in den USA „writing – circle of hope" .... Schreiben gegen die Angst. Seite 77.

HEBBEL, FRIEDRICH; 1813–1863. Seite 148.

HEITMANN, ANNE; * 1921; Hochheim am Main; Veröffentlichung von Lyrik und Prosa in Anthologien und Zeitschriften. Ehrungen u. a. Ehrenbrief des Landes Hessen, Ehrenmedaille der Stadt Hochheim, Finalistin des Literaturwettbewerbs der GEDOK Rhein-Main-Taunus. Seite 94.

HELMREICH, JULIKA, Dr.; * 1961; lebt in Rosstal, Mittelfranken; Fachärztin für Neurologie und Psychiatrie. Bisher Veröffentlichungen von Kurzprosa und Lyrik in Anthologien. Derzeit Arbeit an einem Kinder- und Jugendbuch-Manuskript. Seite 180.

HERWEG, RITA; * 1952; Wuppertal; Germanistin; Freiberufliche Texterin, Lektorin und Dozentin. Veröffentlichung 2002 „Mörtel im Mund" Edition L, 2004 LiteraturBilder mit Alexander Steffes, Anthologien, Lyrik-Objekte, Lesungen. Seite 92, 93.

HESSE, HERMANN; 1877–1962. Seite 208.

HEYM, GEORG; 1887–1912. Seite 182.

HIPPEL-SCHÄFER, v., GABRIELE, Dr. phil.; * 1927; lebt in Freiburg i. Br.; Buchveröffentlichungen (Lyrik, Erzählungen); viele Beiträge in Zeitungen, Zeitschriften, Anthologien; Rudolf-Descher-Feder 2002. Seite 12, 13, 14.

HIPPERT, ANDREAS; * 1970; Er arbeitet als Lehrer und lebt in Fulda am Fuß der Rhön; Lyrik und Novellen in diversen Anthologien. Seite 96, 163.

HOFMANNSTHAL, HUGO von; 1874–1929. Seite 129.

HÖLTY, LUDWIG HEINRICH CHRISTOPH; 1748–1776. Seite 215.

HÜGLI, CAROLA; * 1937; wohnt in Rödermark/Hess.; schreibt Gedichte und Prosa. Veröffentlichungen: Gedichtbände: Herzlichst, Blattgeflüster, Am Sonnenstreif; eine Parabel: Der kleine Mistel; außerdem Anthologiebeteiligungen in versch. Verlagen. Seite 223.

KAISER, URSULA; * 1953; Gymnasiallehrerin; Unterrichtet „Kreatives Schreiben" an Volkshochschulen. Seite 57, 58.

KAWOHL, MARIANNE; * 1945; lebt in Freiburg i. Br.; Dipl.-Päd., Klinische Pädagogin, Psychologin, Schriftstellerin; über 20 Buchveröffentlichungen (Übersetzungen auch ins Finnische, Holländische und in die Blindenschrift); Beiträge u. a. in Rundfunk und Fernsehen; erhielt 2001 die Verdienstmedaille des Landes Baden-Württemberg. Seite 86, 87, 88.

KITTELMANN, EVA; * 1932 Wien; Schauspielerin/Verlagslektorin. Lyrik: 1993 „Atrium tanzender Stille“, „Spitzbergen rückt näher“, 1997 „Dahinterkommen“. CD's: „Ich bringe dir mein Lied“ und „Warten was sich zeigt“. Dzt. Gen. Sekr. im Verband Kath. Schriftsteller Österreichs. Seite 59, 121, 122.

KÖHLER, BERND MICHAEL; * 1954; Neu-Ulm; Diplom-Bibliothekar; „samtäugig steht er vor dem mond“ – Bilder & Gedichte; Ausstellung der Künstlergilde Ulm und der Museumsgesellschaft Ulm mit Jaremie Otternbach, 1997. Anthologiebeiträge. Jaremie Otternbach „That vision 1–72“. Text: Bernd Michael Köhler. Augsburg 2007. Seite 230.

KÖRBER, ESTHER-BEATE; * 1957; Berlin; Dozentin für Neuere Geschichte. Gedichtband: „Laute die mir an den Lenden liegt“, Edition L 1997. Seite 38, 39.

KRAUS, CARLA; * 1940 in Wien; lebt dort als freie Schriftstellerin und Übersetzerin. Studien der Rechts- und Staatswissenschaften an der Universität Wien; Mag. und Dr. iuris; 2 Gedichtbände; Mitarbeiterin zweier indischer Literaturzeitungen; ausländische Auszeichnungen und Preise; zahlreiche Publikationen im In- und Ausland. Seite 123, 187.

KRAUSE, GUNHILD; * 1971; Wetter; Verwaltungsangestellte in der beruflichen Bildung. Schreibt Aphorismen, Gedichte und Kurzgeschichten; Veröffentlichungen in Anthologien; Mitglied des Wittener Autorentreffs. Seite 128.

KRÜGER, EVA, Dr. med.; * 1962; Bad Homburg; Ärztin, Buchautorin, Fotografin. 2005 Debüt-Lyrikband „Vergänglichkeit“; 2006 Gedichtsammlung „Versenkung“; 2007 „Die Verführung“ und „Die Sinnlichkeit“ (Gedichte und Bilder); Zahlreiche Veröffentlichungen in Anthologien, u. a. „Almanach deutschsprachiger Schriftsteller-Ärzte“; „Lyrik Heute“ (2005), „Liebe denkt in süßen Tönen“ im Czernik-Verlag/Edition L. Seite 56, 203, 204.

KUBITSCHECK, HILDEGARD; * 1930 in Bitterfeld; als Lehrerin im Emsland, in Aurich und im Oberbergischen Kreis tätig gewesen. Familiengründung; wieder Lehrerin und Dozentin bis 1998; schreibt vorwiegend Lyrik; Veröffentlichungen: „Innehalten“ 1999, „denn unser Herz ruht nie“ 2002 und in zahlreichen Anthologien. Sie ist Mitherausgeberin i „Seltsam, aber es ist das Leben“, 2007. Seite 216, 217.

LEDERLE, GABRIELE; * 1947; Pforzheim; Beruf: Sprachen/Literatur; Hobbys: Dichten u. Malen. Dichterlesungen in Pforzheim. Seite 127.

LEID, ADE; * 1926 in Düsseldorf; arbeitet seit 48 Jahren als Psychotherapeutin in einem Dorf an der Ruhr; schreibt seit dem 7. Lebensjahr Gedichte – fast nur für sich und gute Freunde. Seite 197, 198.

LENAU, NIKOLAUS; 1802–1850. Seite 143.

LINS, GABRIELE; Dormagen; Mitglied im Verband Deutscher Schriftsteller. 5 Bücher in verschiedenen Verlagen, zahlr. Beiträge in Anthologien, Schulbüchern, Kinder- und Jahrbüchern, literarischen Zeitschriften, Tageszeitungen. 2 Preise für Kurzgeschichten in Völklingen (Saar). Seite 124.

LÜCK, BRIGITTE; * 1930; Nentershausen/Hessen; Puppenspielerin, Puppenspielautorin, Leiterin der kleinen Puppenbühne; Künstlerische Anerkennung des Kultusministers NRW. Seite 164.

LÜGER, MARC; Lingen (Ems); Medienunternehmer. Seite 159.

MACDONALD, ERIKA; Bad Pyrmont; Lehrerin und Dolmetscherin; lebte und unterrichtete 20 Jahre in Australien. Veröffentlichungen in Zeitschriften und Zeitungen. Gedichtband „Lebenszeilen", Edition L. Seite 165, 192.

MARKLEWITZ, ANTJE; * 1966; lebt im Rheinland und arbeitet im Fachbereich Soziales der Stadt Köln; zahlreiche Veröffentlichungen in Kalendern, Anthologien und Zeitschriften. In der Edition L erschien ihr Eigenband „schalentier". Seite 214, 231.

MARTIN, GUDRUN; * 1946; Wiesloch; ehem. Sekretärin. Gedichte in Zeitungen, im Rundfunk u. Anthologien der Edition L „Das Gedicht 2006", „Liebe denkt in süßen Tönen" und „Lyrik heute 2007". Seite 150, 151.

MATENAER, URSULA; * 1928; wohnt in Bocholt i. Westf.; 1949 Abitur, 1951 Heirat, bis 1964 Familienphase, sechs Kinder, seit 1964 Apotheker-Assistentin; mehrere Lyrikbändchen, zuletzt „Ich greife in meine Traum-Saiten", Strube Verlag. Seite 200, 201.

MICHAEL, GERHARD P.; * 1935; lebt in Krefeld; Verlagsleiter, Kirchenchorleiter, Herausgeber geistlicher Chormusik. Gedichtbände: „Blühende Scherben", „Nur ein paar Worte", „Die unvermeidlichen Impromptus". Seite 177, 178, 179.

MIESEN, CONRAD; * 1952; Anhausen/Westerw.; Magister Artium (Philosophie/Germanistik); kaufmännischer Angestellter. 11 Bücher (Lyrik, Essays; Haiku, Tanka und Renga). Über 500 Publikationen in Zeitschriften, Büchern und Anthologien. Seite 135, 136.

MÖRIKE, EDUARD; 1804–1875. Seite 11, 138.

MOLZEN, JÜRGEN; * 1943; Berlin; Buch „Geständnisse & Irrtümer ‚Von der ersten Mode bis zur Zeitfrage'", Aphorismen und Gedichte. Seite 89.

MOSER, SUSANNE; geboren und lebt in Wien; Diplom für Textildesign. Mitglied des Österr. Schriftstellerverbandes und des P.E.N. Clubs. Lyrikbände: „Die Zeit ist ein Fluß ohne Ufer", 1970, „Morgen such ich die Wege von neuem", 1984, Heimatlandverlag Wien-Krems, „Einmal werd ich Sonne sein", 1997, „Ankommen auf einem helleren Stern", 2004, „Ich hör die Brunnen wieder singen", 2006, Edition L, Hockenheim. Mehrere Preise, Franz Karl Ginzkey-Ring 1999. Vertonung vieler Gedichte durch namhafte österreichische Komponisten. Seite 54, 55, 141.

MÜLLER-NADJM, ANDREA; * 1963; Nentershausen-Nordhessen; selbst. Physiotherapeutin, Honorardozentin: Vorträge, Lesungen, Photographie, Gedichte/Aphorismen/Satire. Seite 152, 196, 220.

NEU, ASTRID; * 1955; Nürnberg; Germanistin, Altphilologin. Veröffentlichungen in Anthologien der Edition L., Gedichtband „Flügelschläge", hg. von der Offenen Kirche St. Klara, Nürnberg. Gedichtplakat bei „Lyrik unterwegs" in Stuttgart. Seite 19, 109.

NEUGEBAUER, JÖRG; * 1949; Neu-Ulm; Schriftsteller. Zuletzt erschienen „Die langen Ruder“, Wiesenburg Verlag und „Denksagung“, SalonLiteraturVerlag, München (beide 2007). Preis der Jury beim Irseer Pegasus 2007. Seite 206.

NIETZSCHE, FRIEDRICH; 1844–1900. Seite 79.

NEUNER, MARGA; * 1938; Klausstein-Ahorntal, Fränk. Schweiz; Mesnerin und Bäuerin. Lyrik und Prosa. Kulturpreis des Landkreises Bayreuth. Seite 80, 238.

NÖLSCHER, TAMARA; * 1985; Erlangen und Nürnberg; Auslandsaufenthalt in Nizza/Südfrankreich; Studium der Germanistik und Romanistik an der Friedrich-Alexander-Universität Erlangen. Seite 114, 224.

PETERS, MONIKA; * 1942; Rheinbach; Zahlreiche Veröffentlichungen in Zeitungen, Zeitschriften, Kalendern und Anthologien. Gedichtband „Ich brauche die Nähe von Weite“. Seite 64.

PFAFF, FRANZISKA; * 1961; Rostock; Instrumentalpädagogin (Klavier) und Musiktherapeutin; tätig als Musikschulleiterin Rostock. Hörspiele, Stücke für Jugendtheater, Kinderlieder, Lyrik, teilw. vertont; musikpäd. Fachliteratur. Seite 162, 186.

PIXNER, BRIGITTE; Wien, Österreich; Juristin; Lyrik, Prosa; ca. 60 Lesungen, 9 Bücher (z.B. bei Ed. L, HEYN), Th. Körner-Preis, Publikums-Pr. Harmonia Classica, W. Windecker-Preis. Div. Vertonungen, z.B. Alexander Blechinger, Wien, CD, (PEN, ÖSV). Seite 60, 61.

PLASS, REGINE; * 1958; Sondra; studierte ev. Theologie, Germanistik und Pädagogik in Marburg und Wien; ist als Lehrerin und in der Lehrerfortbildung tätig. Langjährige Mitarbeit bei ‚forum religion‘. Seite 207, 221.

POPPENDIECK, MARIA ILONA; * 1940; List auf Sylt; Künstlerin: Batik, handgeschöpfte Papiere, Lyrik. Veröffentlichungen in Anthologien bei Theo Czernik. Seite 95.

QUIS, JOBST; * 1953 bei München; lebt in der Altmark (Sachsen-Anhalt); Softwareentwickler; schreibt Gedichte und Aphorismen; einzelne Veröffentlichungen in Zeitungen. Seite 18.

RAMDANE, ILA; * 1944 in Russland; lebt in Hilversum; Pianistin, Malerin und Vortragskünstlerin. Zahlreiche Veröffentlichungen in Anthologien, Zeitungen und Zeitschriften; Ausstellungen. Auszeichnungen: Amicus Poloniae, Silberne Goethenadel und Goldene Libelle Nadel. Seite 153, 154.

RASMUSSEN-BONNE, BÄRBEL-WIEBKE; * 1942; Bonn; Grundschullehrerin, Kursleiterin für Kreatives Schreiben. Veröffentlichungen in den Anthologien der Edition L. Seite 23, 100.

REST, FRANCO; * 1942; Dortmund; Professor; „Kehrtwendung im Menschenleben“ (1990), „Das kontrollierte Töten“ (1992), „Sterbebegleitung – Sterbegeleit“ (2006). Seite 62, 63.

REST-HARTJES, GISELA; * 1942; Dortmund; Schriftstellerin; „Am Brunnen Deiner Oase“, 1992, „Wörter bauen Brücken“, 2005; Lyrikpreis des Theater im Pott, Oberhausen. Seite 43, 44.

RILKE, RAINER MARIA; 1875–1926. Seite 218.

RINNER, INGEBORG; lebt in Wien; zahlreiche Beiträge in Literaturzeitschriften und Anthologien sowie eine Reihe eigener Lyrikbände. Übersetzungen und Vertonungen einzelner Gedichte, Lesungen im In- und Ausland. CD-Aufnahmen. Mehrere Preise. Mitgliedschaft bei österreichischen und internationalen literarischen Vereinigungen. Seite 139, 140, 185.

RITZMANN-STRISS, SIGRID; Willich-Anroth. Seite 97, 98.

RÜCKEL, KLAUS-GÜNTHER, * 1938; Frankfurt/Main; Journalist; schreibt Lyrik und Prosa; Veröffentlichungen: „Membranenseligkeit", Gedichte 1968, in mehreren Anthologien vertreten. Seite 26.

RÜCKERT, FRIEDRICH; 1788–1866. Seite 117.

RUTTMANN, CORDULA; * 1953; lebt im Rhein-Neckar-Kreis; veröffentlichte 2005 ihr erstes Buch mit deutschen und englischen Gedichten. Seite 65, 66, 67.

SAUL, HORST, Dr. med.; in Bad-Neuenahr-Ahrweiler als Facharzt. Sieben eigene Buchveröffentlichungen (Lyrik, Kurzprosa, Essays), 1 CD mit vertonten Liedtexten, 2004 eine Retrospektive in Deutsch und Rumänisch „In die Fänge der hungrigen See". Zuletzt 2005 „Als sei ein Anderes da", Gedichte. Mitautor in vielen Anthologien u. a. im Inselverlag, Edition L. Deutsch-Rumänische Anthologie „Bitteres Wasser – blaues Lied". Mitherausgeber der Zeitschrift „Dichtungsring". Mitglied der Akademie der Wissenschaften, Literatur und Künste in Oradea. Lyrikpreisträger von Convorbiri Literare 2005. Seite 118, 119, 120.

SELBERG, GERDA; * 1923; Hamburg. Seite 167.

SIMENC-KRETZSCHMAR, IRMGARD; * 1943 in Rotterdam/Ndl.; lebt in Unterfranken. Seite 125, 126.

SLOWENSKI, ELISABETH; Rednitzhemsbach; Herausgeberin: Kleine Reihe – Gedichte, Prosa, Schauspiele. Seite 68.

SVATEK, KURT F.; lebt in Breitenau, Österr.; Pädagoge, Schulrat, Autor, Honorarprofessor für Literatur; schreibt und veröffentlicht vorwiegend Lyrik, Aphorismen und Essays (bisher 42 Bücher). Er ist Mitglied des P.E.N. und erhielt zahlreiche renommierte Preise und Auszeichnungen. Seite 72, 190, 227.

SWIDERSKI, SIEGFRIED; * 1940; Eppstein bei Ffm.; Werbeberater; Gedichtband „Aus Nacht und Traum". Seite 71, 155.

SCHAFFERT, ELISABETH, Dr. med.; * 1950; wohnhaft in Mosbach; schreibt Gedichte, Kurzprosa und Satiren. Bisherige Veröffentlichungen: Lyrikbände „Zeitreise" 1989, „Bewegen" 1992, „... um zu leben 2000", „der Besuch des Windes" 2005, sowie Teilnahme an Anthologien für Lyrik, Prosa- und Haiku-Dichtung. CD-Produktion „Das Betthupferl" mit selbst gelesenen satirischen Kurzgeschichten, 2006. Seite 28, 144, 183.

SCHEEL, CORDULA; * 1935; lebt in Hamburg. Veröffentlichungen: „Denn ich wage das Wort" 1995, „Öffnung" 1997 bei Peter Coryllis, „Gezeichnet" 2001, „Wegsteine" 2006, Geest-Verlag. Preisträgerin des Mons Aegrotorum u. der Bibliothek d. deutschspr. Gedichts. Seite 173, 174.

SCHIFF, JULIA; * 1940 in Detta/Rumänien; lebt in München als freischaffende Schriftstellerin, Übersetzerin, Essayistin und Literaturkritikerin. Zwei Romane (in eigener Übersetzung auch auf Ungarisch), vier Übersetzungsbände (Prosa und Lyrik), Lyrikveröffentlichungen in Literaturzeitschriften im In- und Ausland sowie in den Sendungen des Bayerischen und Hessischen Rundfunks. Lyrikpreis 1989 der Edition L Loßburg; Medienpreis 1993 des Bundes der Vertriebenen in Bayern (Abteilung Veröffentlichungen); Erzählpreis 1999 der Stiftung Ostdeutscher Kulturrat (Bonn), Donauschwäbischer Kulturpreis. Seite 156, 157.

SCHILL, CLAUDIA BEATE; * 1952; Fremdsprachenstudium, Journalistin. BV.: „Revolution in Zeilen", 1978; „Deutschland-ein-Eisalptraum", 1981; „Engel der Elegie", 1984; „macht Macht machtlos", 1986. 1978 I. Lyrikpreis des „Freien Forums", Heidelberg. Lebt in Ostfildern bei Stuttgart. Seite 146, 147.

SCHLESINGER, GERHARD, Dr. phil.; * 1942; Hamburg-Uhlenhorst; Historiker und Publizist; zahlreiche Veröffentlichungen (Sachbücher, Theaterstücke, Lyrik und Prosa); 1974 Gründer und Vorsitzender des FDA-Landesverbandes Hamburg. Seite 106, 137.

SCHMID, ELISABETH BA; * 1953; München; Studium der Pädagogik und Soziologie. Mehrere Lyrikpreise. Seite 158.

SCHUBERT-OUSTRY, BRIGITTE; Seit 1965 in Paris ansässig. Hochschulstudium in Berlin (Musik und Literatur). Freiberufliche Tätigkeit als Auslandskorrespondentin für Zeitungen und Rundfunkanstalten in Deutschland, Österreich und Schweiz. Lyrik- und Prosapublikationen in Deutschland. Seite 73, 232.

SCHUMANN, BARBARA U.; * 1948; Hamburg; Röntgen-Assistentin an der Med. Hochschule Hannover; Gaststudium in Erziehungswissenschaft. Sieben Lyrikbände; zuletzt „Treppe zum Strand" und „Herbstleuchten". Veröffentlichungen in zahlreichen Anthologien und Literaturzeitungen. Seit 1999 Mitarbeiterin bei „Decision", Zeitschrift für deutsche u. französische Literatur. Mitglied der Hamburger Autorenvereinigung und des Züricher Schriftstellerverbands. Seite 112, 113.

SCHRÖTER, HEINRICH; * 1917 in Westpreußen; lebt seit 1979 als freier Autor in Wiesbaden. Schreibt Aphorismen, Gedichte, Kurzprosa. Veröffentlichte literarische Beiträge in zahlreichen Anthologien, fünf populärwissenschaftliche Schriften, 16 Bände Lyrik und Kurzprosa. Seite 107.

STAAB, RICHARD; * 1953; Bremen; Studium der Politischen Wissenschaften, Neueren Deutschen Literatur und Neueren Geschichte. Veröffentlichungen in Anthologien, 2004: „Perfekte Welt – Lyrik prosaisch". Seite 236, 237.

STADELMANN, BERND; * 1952; Stuttgart; Freischaffender Künstler und Designer. 1990 Herausgabe des Kunstbandes „Chet Baker" von Herbert Joos. 2000 Gedichtband „Inselliebe", Kanarische Gedichte. Weitere Lyrik in Anthologien. Seite 30, 226.

STEHLI-CHRISTALLER, KATJA; * 1925; Stuttgart; studierte Germanistik und Anglistik, zuletzt berufstätig in der Württemberg. Landesbibliothek. Lyrikband „Schattenstufen", Edition L. Stuttgarter GEDOK-Preis. Seite 24, 145, 193.

STUCKY, OSCAR; * 1929; St. Louis, USA; lebt in der Schweiz; Pens. NL-Direktor einer Großbank. Ausgebildeter Dolmetscher, Präsident des Zürcher Schriftstellerverbandes und Ostschweizer Autoren. „Wilder Garten", „Ein Steinwurf", „Licht-Blicke", „Auf dem Weg", „Wiegenlied des Schweigens", „Gedankenspuren", Gedichte. Seite 29.

THIEMER, HANS-JÜRGEN; Altusried-Krugzell. Seite 31, 176.

THOMAS, HELGA; * 1943; Kandern; Psychotherapeutin; Emotionen, Gedichte; Hörst du die Lieder der Engel, Gedichte, der Toten Wort?; Damit wir uns morgen finden, Erzählung. Eine andere Art von Liebesgeschichten, Erzählungen und Kurzgeschichten; Dunkelblüten, Lichtsamen, Gedichte; ... und schlafende Knospen entfalten singend, Bulgarisch-Deutsch; Andalusische Impressionen, Bulgarisch-Deutsch; Halt inne ... Blick in eine andere Richtung ..., Lausche auf den Atem verborgenen Lebens, Gedichte für Nelly Sachs und Paul Celan; Geschichten (m)einer Kindheit. Seite 46.

TITZCK, INGE; * 1931; Kiel. Ein Jegliches hat seine Zeit, Spuren, anderswo, Rechtecke vom Himmel, Du fliegst im Licht, Gestern und Heute. (Bis auf „anderswo" alles Lyrik). Seite 211.

TRACK, GERTRUDE JUNTA; * 1933; Deizisau. Veröffentlichungen in Anthologien, Jahrbüchern, Zeitschriften. Mitglied bei der Künstlergilde, der IGdA. Seite 160.

TRAKL, GEORG; 1887–1914. Seite 130.

TRAUT, BENEDIKT WERNER; * 1934; Gundelfingen/Breisgau; Bildender Künstler, Schriftsteller, Lyriker; seit 1957 Christusbruderschaft Selbitz/Hof a. d. Saale, Evang. Orden. Einzelausstellungen u. Beteiligung an internationalen Gruppenausstellungen im In- und Ausland; im Archiv für Bildende Kunst im Germanischen Nationalmuseum in Nürnberg. Autor zahlreicher Meditations- und Bildbände sowie mehrerer Essays zum Thema „Wege zur Kunst – Wege zum Leben", „Verweilen im Sein"; Gedichte u. Essays, Edition L, 2. Auflage; Vorträge und Lesungen über Deutschland hinaus. Seite 81, 82, 83.

WEBER, KARIN; * 1946; Ottobrunn bei München; Trauerbegleiterin. Veröffentlichungen in Literaturzeitschriften, Anthologien. Seite 168.

WENDLAND, PAUL HEINRICH; * 1936 in Plock/Polen; lebt in Oberbayern; schreibt Lyrik und Prosa, drei Einzelbände. Beiträge in mehreren Lyrikanthologien sowie in Zeitschriften für Kultur- und ganzheitliche Zusammenhänge. Seite 78.

WENNER, ANNETTE; * 1955; Berlin; Studium der Philosophie und Religionswissenschaft, Diplompädagogin; Lehrerin für Humanistische Lebenskunde; Dozentin in Erwachsenenbildung. Seite 110, 184.

WIMMER, GISELA; * 1935; Puchheim bei München. Lyrik und Prosa in Anthologien und Eigenveröffentlichungen. Seite 32, 209.

WINDECKER, WOLFGANG A.; * 1949; Alfeld; Diplom-Handelslehrer. 3 Romane, Gedichtbände „So geschen" und „Ganz in der Nähe", Edition L; in zahlreichen Anthologien. Vergibt den Wolfgang A. Windecker Lyrikpreis. Seite 74, 75.

Wohl kaum sonst ist soviel repräsentables Material zusammengetragen wie in diesem Band der beiden bewundernswert engagierten Lyrik-Editoren. Empfehlenswert. *Die Welt*

Wer immer sich ernsthaft für eine ernstzunehmende Lyrik interessiert, darf an diesem Buch, erschienen in einer kleinen Außenseiter-Edition, nicht vorbeigehen.

Süddeutsche Zeitung

Die Czerniks zählen mit zu den renommiertesten Kleinverlegern. Ihre Ausgaben sind liebevoll und gewissenhaft zusammengestellt und ästhetisch in der Aufmachung.

Südwestpresse

Die Edition L findet bei der Fachwelt Beachtung. Das Gedicht hautnah an den Leser bringen ist der Grundgedanke, der hinter allem steckt. *Schwarzwälder Bote*

Es gibt viele kleine Verlage in der Bundesrepublik, aber nur wenige, die neben Inhaltlichem auch soviel Wert auf das Äußere legen. *Badische Neueste Nachrichten*

Sozusagen im Abseits erschienen die Sammelbände der „Edition L“ (der mutigen Verleger Inge und Theo Czernik), einem Forum, das noch nicht bekannten Autoren die Gelegenheit zum öffentlichen Auftritt bietet. Das ist ein höchst anerkennenswertes Unternehmen, und die Inhalte der äußerlich höchst geschmackvollen Bände bestätigen das Bemühen der Verleger, förderungswürdigen Talenten den Weg zu bereiten. *Main-Post*

Man begegnet Gedichten, die von einer hohen sprachlichen Intensität leben. Gedanklich und metaphorisch ist jede Zeile ausgereift, nichts wird voreilig und um des puren Effekts willen hingesagt. Ein Gedichtband, der mehr ist als ein Geschenk: er ist in der Lyrikflut unserer Tage ein wahrer Glücksfall. *Deutsche Tagespost*

Die von Theo und Inge Czernik betreute Edition L in Hockenheim hat sich unter Freunden von moderner und zeitkritischer Lyrik mit einer Reihe von Einzelausgaben und Anthologien einen Namen gemacht. Immer wieder sind den beiden Herausgebern dabei niveauvolle und couragierte Gedichtbände gelungen, die in der Fachwelt Beachtung fanden und einen bedeutenden Beitrag zur deutschen Gegenwartslyrik darstellen. *Mannheimer Morgen*

Die herausgegebenen Anthologien der Edition L bieten dem rumänischen Dichter, Anthologen und Leser die Möglichkeit, in die neuere deutsche Lyrik einzudringen, was sonst, bedingt durch die kaum vorhandenen deutschen Lyrikpublikationen, nicht möglich wäre.
Poesis, rumänische Literatur- und Lyrikzeitschrift

Ein kleines Fest in diesem Band zu blättern. Die Auswahl ist sicher und streng getroffen. Eine lobenswerte verlegerische Leistung. *Deutsche Tagespost*

Einen Weg zu zeigen, den Lyriker der Gegenwart abseits von literarischer Mode gehen können, unternimmt vortrefflich die „Edition L“ mit einer kleinen, erlesenen Auswahl zeitgenössischer Lyrik. Sie schafft damit gleichzeitig einen dokumentarischen Beitrag zum Stand der Gegenwartslyrik. Erkennbar wird vor allem die sprachliche Vielfalt und das hohe Niveau in den Gedichten von Autoren, die fast alle auf Publikationen oder auf Lyrikpreise verweisen können.
Westfalen Blatt

Der Edition L ist mit der Lyrikanthologie ein weiterer großer Wurf gelungen. Als Sammelpunkt und Sprachrohr einer Lyrikgeneration wurden diese jährlichen Veröffentlichungen zu einem unverzichtbaren Bestandteil der deutschsprachigen literarischen Szenerie. *Der Literat*

Theo Czernik, 1929 im heutigen Tschechien geboren, studierte Graphik und Theologie. Schriftstellerisch und publizistisch tätig veröffentlichte er in seiner Zeit als Werbeleiter in der Industrie mit seiner Frau Inge Gedichtanthologien relativ unbekannter zeitgenössischer Autoren. Diese Ausgaben fanden Beachtung, manche ihrer Lyriker bekamen literarische Auszeichnungen – das führte zur Firmierung Edition L (L für Lyrik und Loßburg, dem Wohnsitz bei Freudenstadt).

Die Eheleute Czernik veranstalteten seit 1984 für ihre Autoren die Tagungen „Lyrischer Oktober" auf der Comburg bei Schwäbisch Hall. Das wachsende Interesse in der Lyrikszene an diesen Lesungen, Referaten und Workshops führte von 1989 bis 2001 zu den „Freudenstädter Lyriktagen". Ihr Ziel war, dem Gedicht in der Öffentlichkeit jenen Stellenwert zu geben, den es verdient, und Wege dafür zu suchen. Diese Veranstaltungen, zu denen Autoren aus allen Teilen Deutschlands und dem deutschsprachigen Ausland kamen, wurden von literarischer Prominenz eröffnet wie Marcel Reich-Ranicki, Hilde Domin, Wolf Biermann, Hans-Jürgen Heise, Ulla Hahn u.a.

1993 erfolgte ein Umzug des Verlages nach Hockenheim, wo Inge Czernik im gleichen Jahr verstarb. 2006 veranstaltete Theo Czernik die Kurpfälzer Lyriktage.

Mit ihrer christlich-humanistischen Verlagslinie bemüht sich die Edition L Lyrik aus dem Abseits zu holen, das Gedicht als eine Botschaft zu sehen, als empirisches Anschauungsmaterial und nicht als Darstellung abstrakter, experimentell verschlüsselter Gedanken – unter dem Motto: Lyrik wieder lieben lernen.